Técnicas fundamentais do psicodrama

CIP-BRASIL. CATALOGAÇÃO NA PUBLICAÇÃO
SINDICATO NACIONAL DOS EDITORES DE LIVROS, RJ

T253

    Técnicas fundamentais do psicodrama / organização Regina Fourneaut Monteiro. - [4. ed.] - São Paulo : Ágora, 2021.
    208 p. : il.

    Inclui bibliografia
    ISBN 978-85-7183-279-4

    1. Psicodrama. I. Monteiro, Regina Fourneaut.

21-69236   CDD: 616.891523
                                                         CDU: 615.851

Camila Donis Hartmann - Bibliotecária - CRB-7/6472

www.editoraagora.com.br

Compre em lugar de fotocopiar.
Cada real que você dá por um livro recompensa seus autores
e os convida a produzir mais sobre o tema;
incentiva seus editores a encomendar, traduzir e publicar
outras obras sobre o assunto;
e paga aos livreiros por estocar e levar até você livros
para a sua informação e o seu entretenimento.
Cada real que você dá pela fotocópia não autorizada de um livro
financia o crime
e ajuda a matar a produção intelectual de seu país.

Técnicas fundamentais do psicodrama

REGINA FOURNEAUT MONTEIRO (ORG.)

TÉCNICAS FUNDAMENTAIS DO PSICODRAMA
Copyright © 1993, 1998, 2021 by autores
Direitos desta edição reservados por Summus Editorial

Editora executiva: **Soraia Bini Cury**
Assistente editorial: **Michelle Campos**
Capa: **Alberto Mateus**
Projeto gráfico e diagramação: **Crayon Editorial**

2ª reimpressão, 2024

Editora Ágora
Departamento editorial
Rua Itapicuru, 613 – 7º andar
05006-000 – São Paulo – SP
Fone: (11) 3872-3322
http://www.editoraagora.com.br
e-mail: agora@editoraagora.com.br

Atendimento ao consumidor
Summus Editorial
Fone: (11) 3865-9890

Vendas por atacado
Fone: (11) 3873-8638
e-mail: vendas@summus.com.br

Impresso no Brasil

Sumário

PREFÁCIO 7
José Fonseca

APRESENTAÇÃO 9
Regina Fourneaut Monteiro

PARTE I

1 TÉCNICAS HISTÓRICAS: TEATRO DA IMPROVISAÇÃO (ESPONTÂNEO)
E JORNAL DRAMATIZADO (JORNAL VIVO) 12
Regina Fourneaut Monteiro

2 TÉCNICAS BÁSICAS: DUPLO, ESPELHO E INVERSÃO DE PAPÉIS 19
Camila Salles Gonçalves

3 TÉCNICAS DOS INICIADORES 31
Wilson Castello de Almeida

PARTE II

4 O TESTE SOCIOMÉTRICO 44
Fani Goldenstein Kaufman

PARTE III

5 REALIZAÇÃO SIMBÓLICA E REALIDADE SUPLEMENTAR 68
Maria Luiza Carvalho Soliani

6 PROJEÇÃO PARA O FUTURO 82
Vânia Crelier

7 ONIRODRAMA 88
José Roberto Wolff

8 TÉCNICAS EXCLUSIVAS PARA PSICÓTICOS 98
Luís Altenfelder Silva Filho

PARTE IV
9 TESTES DE ESPONTANEIDADE OU "TREINAMENTO"
PARA A ESPONTANEIDADE 108
Regina Teixeira da Silva

10 INTERPOLAÇÃO DE RESISTÊNCIAS 116
Carlos Calvente

11 AUTOAPRESENTAÇÃO, APRESENTAÇÃO DO ÁTOMO SOCIAL,
SOLILÓQUIO, CONCRETIZAÇÃO E CONFRONTO 126
Antônio Gonçalves dos Santos

PARTE V
12 PSICOMÚSICA 150
Martha Figueiredo Valongo

13 VIDEOPSICODRAMA 157
Ronaldo Pamplona da Costa

PARTE VI
14 *ROLE-PLAYING* 182
Arthur Kaufman

15 O JOGO NO PSICODRAMA 195
Regina Fourneaut Monteiro

Prefácio

A ORGANIZAÇÃO DESTE LIVRO é uma feliz ideia de Regina Fourneaut Monteiro. Obra de concepção original, seus temas são pinçados da literatura psicodramática, sobretudo de Moreno, e dispostos de forma fluente e didática. Regina é a "diretora", os coautores são os "protagonistas" e a "dramatização" é o próprio livro. O "compartilhar" (*sharing*) cabe ao grupo, ou seja, a nós, leitores.

A "diretora" demonstra claramente, na carta-convite que envia aos "protagonistas" quando da preparação do livro, sua "proposta dramática". Deseja que os textos contenham, entre outras características, "conceituação, exposição, uso e exemplos da técnica original, primitiva, como foi pensada por J. L. Moreno". Em outro ponto, destaca a necessidade de se utilizar na bibliografia *exaustivamente* (o grifo é de Regina) a obra de Moreno. Com isso, consegue uma harmonia dos textos, respeitando as peculiaridades dos temas e a individualidade dos autores.

Falar de cada um dos capítulos tornaria este prefácio muito longo. Mas não poderia deixar de assinalar que seus autores, todos na maturidade da técnica, representam diferentes fases e características do psicodrama no Brasil.

Regina Fourneaut Monteiro é contemporânea do primeiro grupo de psicodramatistas brasileiros (os chamados grupos "G"), formados pela equipe de Rojas-Bermúdez. Logo a seguir temos Vânia Crelier, que realizou parcialmente seu treinamento com a mesma equipe (grupos "N"). Vêm, depois, representantes da primeira turma formada pela Sociedade de Psicodrama de São

Paulo (Sopsp): Regina Teixeira da Silva, Ronaldo Pamplona da Costa e Camila Salles Gonçalves (Camila começou com a primeira turma e, após breve interrupção, terminou com a outra). Wilson Castello de Almeida pertence à segunda turma da Sopsp. José Roberto Wolff e Arthur Kaufman fazem parte de um grupo dos mais talentosos que já passaram pela mesma entidade. Luís Altenfelder Silva Filho é da turma seguinte. Martha Figueiredo Valongo e Antônio Gonçalves dos Santos foram atraídos pelo psicodrama e deixaram suas carreiras de origem (a de educadora, da primeira, e a de sociólogo, do segundo). Fani Goldenstein Kaufman veio da Bahia e encerrou seu curso no Instituto Sedes Sapientiae (São Paulo). Seguindo o caminho inverso, Maria Luiza Carvalho Soliani foi para a Bahia e lá se tornou psicodramatista. Finalmente, entre os coautores protagonistas surge Carlos Calvente, psicodramatista argentino (equipe de Dalmiro Bustos), com fortes raízes entre nós.

Em épocas tão difíceis pelas quais nós, brasileiros, passamos, é gratificante constatar que os psicodramatistas ainda têm fôlego para criar.

JOSÉ FONSECA

Apresentação

CONFESSO-LHES QUE MINHA IDEIA era modesta: reunir psicodramatistas cordiais (isto é, do coração) para juntos prepararmos uma seleção didática das técnicas originalmente propostas por Jacob Levy Moreno[1].

De início a acolhida foi calorosa; depois, uma saudável constatação: acho que nunca se pesquisou, se escarafunchou, se conversou tanto sobre a literatura moreniana disponível como nesse tempo de preparação dos temas escolhidos.

Telefonemas, cartas, recados, "buchichos mil" entrecruzaram-se pelos céus de São Paulo, Bahia, Ouro Fino, Argentina, trocando figurinhas. Até para escolher o padrinho, prefaciador, conversou-se, com resultado unânime.

Mais do que escritos lineares, cada autor exercitou o questionamento e a criatividade. Brilharam!

Fiquei orgulhosa de minha iniciativa e quero dizer aos que atenderam ao meu convite que o agradecimento há de ser generoso, pois virá dos leitores, a quem dedico (dedicamos, não é?) estas páginas.

REGINA FOURNEAUT MONTEIRO

---

[1]. Não abordamos o hipnodrama porque em nosso meio não encontramos quem tenha experiência com a técnica. Quanto à técnica da "cadeira vazia" ou "cadeira quente", consideramo-la patrimônio da Gestalt-terapia.

PARTE I

1. Técnicas históricas: teatro da improvisação (espontâneo) e jornal dramatizado (jornal vivo)

Regina Fourneaut Monteiro

ORIGEM

Moreno era um apaixonado por teatro. Desde criança, com suas brincadeiras, como a "de ser Deus", seguindo pelas peças que encenava com crianças nos jardins de Viena. Já a partir de 1911, Moreno tinha com o teatro uma grande identificação, quando produziu a peça *As aventuras de Zaratustra*, que foi encenada no Teatro das Crianças de Viena. Nessa época, ele já começava a interferir durante a representação, modificando-a e com isso testando a espontaneidade dos atores, ao mesmo tempo que estimulava o auditório a fazer o mesmo. Sua intenção era a de que todos participassem. Começou, portanto, a questionar os valores do teatro clássico, com peça e roteiro previamente escritos, atores com papéis fixos e ensaiados e um cenário anteriormente construído. Questionou as conservas culturais da época e propôs uma verdadeira revolução: criou um teatro sem peça, sem atores fixos, sem cenário e sem auditório. Os participantes eram os autores e atores, que produziam no aqui e agora. O cenário era o espaço aberto.

Nessa mesma época, entusiasmado pelas novas propostas de Stanislavski (1905) – que desenvolve uma nova e também revolucionária pedagogia dramática, propondo que o autor crie a partir de seus próprios sentimentos, utilizando-se de toda a sua espontaneidade e criatividade – e influenciado por Max Reinhardt, também teatrólogo – que leva o teatro às praças públicas e aos circos, produzindo um teatro popular –, e por Pirandello – com sua proposta também inovadora, criando o Teatro da Loucura –, Moreno fundou em 1921 o *Stegreiftheater*. Também chamado de Laboratório Stegreif, tinha uma nova proposta de fazer teatro:

- eliminação do dramaturgo e da peça escrita;
- participação do auditório. Em um teatro sem espectadores, todos são participantes e atores;
- os atores e o público são os únicos criadores. Tudo é improvisado: a obra, a ação, o tema, as palavras, o encontro e a resolução dos conflitos;
- desaparecimento do antigo cenário. Em seu lugar coloca-se o cenário aberto, o espaço aberto, o espaço da vida, a própria vida.

O Teatro da Espontaneidade sofreu uma grande resistência até ser aceito pelo público e pela imprensa. Estes estavam acostumados com a peça pronta e não confiavam na criação espontânea. Suspeitavam que ela fosse ensaiada e preparada. Moreno enfrentou, então, um problema: como modificar a atitude do público e dos críticos? Na época, para agravar a situação, seus melhores atores do Teatro da Espontaneidade (Peter Lorre, Hans Rodenberg, Robert Müller e outros) migraram para o teatro clássico. As pessoas de um modo geral não estavam preparadas para tal revolução.

Foi nesse momento que Moreno "criou" o Jornal Vivo, depois também chamado de Jornal Dramatizado, em que seu entusiasmo pelo teatro permaneceu como uma nova tentativa. Pretendia fazer uma síntese entre o jornal e o teatro. Do jornal ele tirava as notícias do que acontecia no mundo e propunha que a partir daquele estímulo se fizesse uma dramatização. As manchetes eram dramatizadas. Neste momento, sem dúvida, reconhecemos as raízes do sociodrama. Moreno continuou sua luta, uma proposta de arte do momento, contrastando com a arte da conserva. Esta foi sem dúvida, em minha opinião, sua grande motivação em vida. Seu trabalho não foi em vão. O meio teatral foi sensibilizado. Grupos de vanguarda absorveram suas ideias e criaram ateliês experimentais, por exemplo, que nos influenciam até hoje.

ESTRUTURAÇÃO

Vamos ver agora os elementos necessários utilizados para sua realização.

QUAL É A DIFERENÇA ENTRE O TEATRO DA ESPONTANEIDADE E O JORNAL VIVO?

A diferença está no aquecimento. No Teatro da Espontaneidade, o grupo é aquecido, por exemplo, com o recurso de um jogo dramático (*veja o capítulo sobre jogos neste livro*). Já no Jornal Vivo, o tema a ser dramatizado é encontrado pelo grupo nos jornais, portanto uma manchete de jornal serve como aquecimento para a dramatização.

Outra diferença: o Teatro da Espontaneidade deu origem ao psicodrama, quando, depois do famoso caso Bárbara (até então atriz do Teatro da Espontaneidade), os objetivos e as estruturas configuraram-se de forma diferente. O psicodrama limita-se ao sentido terapêutico e o Teatro da Espontaneidade caracteriza-se pelo aspecto teatral, em que o objetivo é o espetáculo, enquanto o Jornal Vivo, como já dissemos, deu origem ao sociodrama.

Uma semelhança: tanto um quanto outro propõem-se a uma reflexão e a uma catarse coletiva.

QUAL É O PAPEL DO DIRETOR E DOS EGOS AUXILIARES?

O papel do diretor, em se tratando do Teatro da Espontaneidade ou do Jornal Vivo, é o de auxiliar os participantes durante o tempo da estruturação da peça. Não é um escritor que oferece algo pronto, mas um agente ativo que "enfrenta" os escritores e atores com uma ideia que vai se desenvolvendo. Estimula-os para alcançar um aquecimento necessário à produção.

Os egos auxiliares são os atores espontâneos que auxiliam, assumindo papéis brotados da produção grupal do momento. Estão a serviço da peça que se desenrola, a serviço da produção do espetáculo teatral que se desenvolve.

Imagine um teatro onde a peça é construída por você, que poderá ser o ator, contando também com outros atores auxiliares e um ajudante, o diretor que o auxiliará na produção. Esse é o teatro que Moreno nos propõe.

QUAL É A ESTRUTURA DO PALCO?

Trabalhamos com um espaço que não limite nossos movimentos, um espaço aberto, com frentes para todos os lados, que não contenha somente uma parte, mas que possa conter todos os seus participantes. Somente uma forma de círculo nos poderia oferecer essa estrutura, aberta de todos os lados e que atinja a comunidade que nos rodeia.

E A PLATEIA?

A plateia, ou auditório, é composta por toda a comunidade presente. Todos são convidados a participar. Como diz Moreno, o drama não poderá ser iniciado até que chegue o último habitante do lugar.

E QUANTO AO PROTAGONISTA?

É em torno do protagonista que a dramatização se centraliza. É ele quem traz o tema para dramatizar e ao mesmo tempo o desempenha. É, portanto, autor e ator. Constrói com o diretor o contexto dramático e dá as coordenadas nas cenas que serão levadas. É o emergente dramático do grupo. Nem sempre é um indivíduo. Pode ser um grupo; neste caso, denomina-se sociodrama.

No Teatro da Espontaneidade, ou no jornal dramatizado, o protagonista é o ator ou grupo de atores que mobilizam a cena, levam a peça ao seu desenvolvimento dramático. Surgem da plateia na fase do aquecimento e são os atores principais.

QUAIS SÃO SUAS ETAPAS?

Como no psicodrama, o Teatro da Espontaneidade e o Jornal Vivo passam pelas mesmas fases em seu desenvolvimento: aquecimento, dramatização, compartilhar e comentários.

- aquecimento: preparação do público para a criação da peça;
- dramatização: desenvolvimento da peça propriamente dita;
- compartilhar: fala-se sobre as emoções às quais a dramatização conduziu, uma catarse emocional;
- comentários: quando todos participam, analisando o conteúdo da peça criada. Ocorre aí um predomínio da reflexão intelectual.

EXEMPLOS

Nossa primeira tentativa "oficial" de trabalho com o Teatro da Espontaneidade deu-se no I Congresso da Federação Brasileira de Psicodrama, realizado em Serra Negra (SP) em 1978. Foi um trabalho dirigido por mim, Plinio Montagna e Luís Altenfelder Silva Filho.

Nossa ideia de levar o Teatro da Espontaneidade ao congresso surgiu da intenção de proporcionar uma vivência de técnicas psicodramáticas de uma forma não explicitamente dirigida a um trabalho direto com situações conflitivas individuais. Nosso ânimo era mais lúdico, e pensamos em criar uma oportunidade de treinamento da espontaneidade em tal ambiente.

A razão mais importante, que nos motivou a este trabalho, foi o fato de que, em se tratando do I Congresso Brasileiro de Psicodrama, pensamos ser uma ocasião para inserir um pouco das primeiras experiências de Moreno.

Quisemos também verificar a potencialidade do Teatro da Espontaneidade num ambiente como tal. Nossa experiência contou com a participação de aproximadamente 65 pessoas, durante três dias, com a duração de duas horas cada sessão (duração de uma sessão de psicodrama e geralmente de uma peça de teatro). As experiências nos três dias de trabalho foram bastante diferentes. No primeiro, tivemos um grupo num trabalho mais de aquecimento, como se fosse uma situação de laboratório de teatro. Foi uma situação de menor estruturação. No segundo e terceiro dias, tivemos o aparecimento de uma ação mais dramática. No segundo, a criação do grupo delineou-se como uma sátira política, a partir da história de vida de um indivíduo numa família imaginária, constituída por políticos. O público pôde expressar suas ansiedades em relação a um tema mais amplo, ainda dentro do contexto geral do congresso. No terceiro dia ocorreu, a nosso ver, uma tentativa de integração e elaboração das vivências com a criação de uma peça que veio expressamente tratar de conflitos profissionais do grupo, e que, talvez, naquele contexto, tenha "fotografado" o êxito do congresso.

Nessa experiência, técnicas como o solilóquio, o duplo, a inversão de papéis e o congelamento de cenas nos pareceram fundamentais. No mais, tivemos sempre em mente a preocupação de manter a estrutura teatral da ação, centralizando, em vez de no indivíduo ou no grupo em busca de uma resolução de conflitos psicológicos, na história e na ação propostas pelo grupo como expressivas do seu momento.

Foi uma experiência gratificante e que nos entusiasmou bastante. Vimos no Teatro da Espontaneidade uma potencialidade muito grande para a "liberação" da espontaneidade das pessoas. Vimos uma situação que permite sempre a exploração de temas os mais amplos e diversos, com a possibilidade da análise crítica. Vimos a fascinante experiência de o grupo criar, fazer e refazer suas histórias, mantendo, ainda que até certo ponto, seu domínio sobre elas.

Segui, em meu percurso profissional, passando pelas Jornadas Internas da Sociedade de Psicodrama de São Paulo, por congressos de psicodrama e outras experiências, como a realizada em

6 de março de 1991, a convite da Secretaria Municipal da Saúde de São Paulo, quando contamos com a participação de aproximadamente 40 pessoas, na comemoração do Dia Internacional da Mulher. Foi um trabalho realizado em conjunto com Vânia Crelier, quando dirigimos um "teatro espontâneo". Aquecemos o grupo, dividindo-o em quatro subgrupos. Pedimos a cada um que fizesse uma imagem sobre o tema "Ser mulher em São Paulo". Surgiram quatro imagens. Uma foi eleita: a do atendimento às mulheres pobres nos postos de saúde da Prefeitura. A discriminação pela cor e a situação econômica predominaram (cor negra e baixo nível econômico). A seguir, comentamos e compartilhamos nossa realidade social. Mais uma vez, o Teatro da Espontaneidade retrata e denuncia as nossas impunidades!

CONSIDERAÇÕES FINAIS

A proposta moreniana é a de um teatro revolucionário vivo, aberto, que foge ao teatro de conserva. Atores improvisam e criam uma peça. Elimina-se a obra escrita e o público participa.

Esperamos que o psicodrama brasileiro, fazendo e refazendo sua história, utilize sempre sua espontaneidade, e que a vitalidade possa cada vez mais se apossar de seu caminho.

BIBLIOGRAFIA

GONÇALVES, C. S.; WOLFF, J. R.; ALMEIDA, W. C. de. *Lições de psicodrama*. São Paulo: Ágora, 1988.

MORENO, J. L. *Psicodrama*. Buenos Aires: Hormé/Paidós, 1961.

_____. *El teatro de la espontaneidad*. Buenos Aires: Vancu, 1977.

STANISLAVSKI, C. *A preparação do ator*. Rio de Janeiro: Civilização Brasileira, 1968.

2. Técnicas básicas: duplo, espelho e inversão de papéis

Camila Salles Gonçalves

TRATANDO DE PROBLEMAS de natureza emocional, as psicoterapias têm meios psicológicos de promover o autoconhecimento e a superação de dificuldades ou de sintomas e de modificar formas desfavoráveis de relacionamento interpessoal. Os meios, os caminhos constituem o método que inclui técnicas.

A palavra grega *tékne* originariamente significava arte manual, indústria, exercício de um ofício, profissão, arte, habilidade para fazer alguma coisa, meio, expediente, produto de arte etc. Nas psicoterapias, *técnica* retém alguns desses significados. Mas podemos dizer que as técnicas são principalmente processos de uma arte ou maneiras, jeitos de fazer algo. No caso do psicodrama, as técnicas, maneiras de fazer ou de agir estão relacionadas à arte teatral, à encenação do drama. São adotadas em sessões grupais, individuais ou bipessoais, com inúmeras variações, que dependem não só da modalidade de psicodrama, mas também do momento vivido pelo cliente.

Para Moreno, os verdadeiros inventores das técnicas são os enfermos mentais de todos os tempos, e o psicodrama descobriu-as, porém não as inventou. Elas podem ser encontradas em usos e costumes de várias culturas, na literatura e no teatro. Inspirado por leituras e principalmente pela experiência teatral, acompanhando seus pacientes quando estes enfrentavam intensas perturbações e conflitos, procurando auxiliá-los na expressão de seu mundo interno, Moreno pôde descobrir com eles as formas de ação efetivamente expressivas, catárticas e esclarecedoras.

Toda descrição que possamos fazer do psicodrama do ponto de vista técnico é uma abstração que procura reter o essencial, sem atingir contudo a plenitude da experiência concreta. Portanto, esta é uma apresentação que apenas situa o leitor em relação aos principais perfis das técnicas básicas.

Não existe psicodrama sem criatividade. Cada sessão, cada dramatização, desenvolvendo sequências em que o protagonista se expressa e se descobre, é única e jamais poderá servir de modelo para outro evento. Apesar da originalidade da cena que se desenrola, pode-se notar que o diretor utiliza técnicas que norteiam a ação do protagonista, isto é, maneiras ou jeitos na arte de conduzi-lo a realizar o drama. É preciso lembrar que nenhuma técnica é utilizada sem *aquecimento* e, no caso do psicodrama em grupo, sem a cuidadosa escolha do protagonista.

O conjunto de processos da arte psicodramática não pode ser reduzido ao emprego das técnicas básicas, embora geralmente estas e suas derivações permitam a instauração da situação psicodramática. Chamamos de técnicas básicas aquelas que servem de base ou de fundamento para as demais. Devemos observar, entretanto, que não é obrigatório que sejam utilizadas em todas as sessões de psicodrama. Pelo contrário, nota-se sua ausência nos protocolos escritos por Moreno, o que aponta para o descompromisso do psicodrama em relação a quaisquer instrumentos previamente definidos.

A TÉCNICA DO DUPLO

Essa técnica só é utilizada quando o protagonista está impossibilitado ou tem muita dificuldade de se expressar verbalmente. Nesse caso, um terapeuta na função de ego auxiliar adota a mesma postura, expressão corporal e gesticulação do paciente e fala a partir de sentimentos e emoções que capta. Trata-se, pois, de um procedimento que exige muita flexibilidade corporal e sensibilidade télica por parte do terapeuta. Moreno o adotava com psicóticos, pretendendo proporcionar aos pacientes a presença de uma pessoa próxima compreensiva, capaz de oferecer um mínimo vínculo tranquilizador e facilitador da comunicação.

A fala do ego auxiliar que faz o duplo do protagonista é necessariamente interpretada. É por isso que muitos terapeutas utilizam a técnica do duplo quando lhes parece que devem interpretar durante a cena aquilo que o protagonista está comunicando de outras formas, mas sem uma expressão suficiente ou mesmo sem consciência. Porém, a técnica jamais deve se transformar em ocasião para um confronto entre terapeuta e cliente ou para uma interpretação que contrarie aquilo que o cliente preferiria expressar. No caso de perceber ou supor que este engana a si mesmo, o terapeuta deve lançar mão de outros recursos e não dessa técnica, que constitui uma facilitação da expressão e da comunicação.

Quando o duplo cumpre efetivamente sua função, é aceito pelo protagonista. No caso oposto, o ego auxiliar que encarna o duplo torna-se inoportuno, invasor ou persecutório, e é geralmente rejeitado. Evidentemente não deve insistir. Cabe ao diretor, se a função está sendo exercida por outro terapeuta, interromper a atuação do ego auxiliar quando se chega a um resultado indesejável.

Hoje em dia, muitos terapeutas lançam mão da técnica do duplo sem reproduzir a expressão corporal do cliente. Se a reprodução pode consistir em um bom aquecimento ou até em *iniciador físico* para o ego auxiliar, o fato de se sentir imitado pode perturbar o protagonista. Assim, muitas vezes o ego auxiliar apenas coloca uma mão no ombro do cliente para mostrar que está junto com ele e passa à expressão verbal com a entonação dramática que lhe parece adequada.

Notemos que, pela sutileza e pela qualidade dramática exigidas, a técnica do duplo depende essencialmente de uma boa preparação e de um bom treino do ego auxiliar.

No terreno da teoria psicodramática, Moreno esboçou algumas afirmações sobre a técnica do duplo. Segundo ele, "o duplo duplica os processos inconscientes". Há, pois, implícita, a ideia de que o ego auxiliar capta o processo inconsciente do protagonista e de alguma forma lhe transmite o seu próprio processo. Esse tipo de teoria não foi desenvolvido, é bastante obscuro, e outras observações do autor aumentam a dificuldade de compreensão, pois ele escreveu que o ego que faz o duplo proporciona ao cliente um "inconsciente auxiliar". Temos de reconhecer o uso pouco rigoroso da palavra *inconsciente* por parte de Moreno. Após criticar o conceito de *inconsciente*, quando concebido como uma substância, ele afirmou que usa a palavra referindo-se apenas a "estados inconscientes" e não a "um inconsciente". Mas, nesse caso, o que pode ser um "inconsciente auxiliar"? Não encontramos resposta nos textos de Moreno. Resta-nos interpretar suas proposições e, assim, dizer que, de algum modo, para ele, a técnica do duplo às vezes permite ao ego auxiliar uma intuição profunda de estados inconscientes do protagonista e a este uma captação equivalente dos estados inconscientes desse terapeuta que se dispõe a entrar em sintonia com ele.

Segundo Moreno, a técnica do duplo é terapeuticamente importante para os solitários e para as crianças que se isolam ou que apresentam atraso. Do ponto de vista do autor, uma criança solitária ou um cliente esquizofrênico talvez nunca chegasse a se mostrar capaz de inverter papéis, mas poderia aceitar e acolher o duplo.

Apesar de suas vantagens, não é utilizando exaustivamente essa técnica que vamos fazer que uma pessoa se desiniba, se expresse melhor ou venha a estabelecer vínculos com maior facilidade. O psicodrama não apresenta nem segue receitas. Essa, como outras técnicas, só pode ser usada no momento propício da dramatização e segundo o contexto.

A TÉCNICA DO ESPELHO

Essa técnica propicia ao protagonista condições de melhorar a autopercepção. Tal como Moreno concebia, consistia em transformar o cliente em um espectador de si mesmo, fazendo-o permanecer na plateia e assistir a cenas em que um ego auxiliar o representava, procurando reproduzir seu modo de se movimentar, de se comportar e de se comunicar com personagens de seu átomo social ou de seu mundo interno, cujos papéis eram representados por outros egos auxiliares. A representação era a mais precisa possível, e Moreno chegou a afirmar que a gravação e a reprodução de discos poderiam auxiliar o terapeuta no uso dessa técnica. Hoje, com o vídeo, é fácil seguir sua recomendação, e vemos assim que o princípio da técnica do espelho é um bom motivo para o uso do vídeo no psicodrama.

Apesar das eventuais vantagens de o indivíduo observar a si mesmo, a técnica exige muita preparação e cuidado para que o protagonista não se sinta caricaturado. Há variações da técnica do espelho que diminuem esse risco, além de não retirarem o protagonista de cena, quando não é desejável que ele se desaqueça para uma sequência de situações em que vem desempenhando seus papéis. Numa das variações atualmente mais utilizadas, o cliente é mantido no espaço da dramatização, ao lado do diretor e apenas ligeiramente afastado da cena de que foi retirado. O protagonista observa a cena, onde às vezes não é necessário que um ego auxiliar desempenhe seu papel, pois as demais pessoas que o representam continuam a dramatização, concretizando aspectos seus ou referindo-se a figuras de seu mundo interno ou de seu átomo social. Após um tempo de observação, que se deve cuidar para não ser excessivo, o protagonista volta para seu lugar na cena e a dramatização prossegue.

Para Moreno, um ego auxiliar otimamente treinado poderia retratar "a imagem corporal e a vida inconsciente" de uma pessoa ou de uma dupla de pessoas que estivessem em relação emocional íntima (irmãos, principalmente gêmeos, mãe e filho, pai e filho, marido e mulher etc.). O terapeuta espelharia, pois, não só os aspectos observáveis do protagonista, mas também seus estados inconscientes. Além disso, em sessões com duplas, espelharia os "inconscientes" de cada um, facilitando a compreensão mútua e a comunicação. É claro que o autor supunha que o ego auxiliar poderia captar "estados inconscientes", mesmo se a pessoa não estivesse se expressando verbalmente. Essas curiosas considerações teóricas podem ser aproximadas da teoria do "fator tele", que, segundo Moreno, consistia em um tipo de sensibilidade e de acuidade perceptiva que permitia a um indivíduo captar o estado afetivo-emocional do outro.

A técnica do espelho não pode ser utilizada com crianças porque elas não suportam interromper a ação, a brincadeira, ou se sentem atacadas pela imitação. No caso do vídeo, este se transformaria em um brinquedo provavelmente estimulador da exibição, sem cumprir a função atribuída à técnica.

Se temos em um grupo um cliente que "não se enxerga", não é o abuso da técnica do espelho que vai ajudá-lo. Executando o caso do videopsicodrama, em que as condições do espelhamento são as mesmas para todo o grupo, não se pode querer que a percepção de si mesmo de um indivíduo se torne mais acurada por meio da repetição da técnica.

A TÉCNICA DA INVERSÃO DE PAPÉIS

Antes de tudo, é preciso salientar que a inversão ou troca de papéis só ocorre quando as pessoas envolvidas estão de fato presentes. Quando o protagonista "troca" de papel, interpretando alguém a quem está se referindo, real ou imaginário (não importa), o que se está usando é uma variação da técnica de apresentação de papéis, em que ele *toma o papel do outro*, expressando o modo como o vê.

Na técnica de inversão os clientes fazem os papéis de seus antagonistas. Cada um desempenha o papel do outro tal como o percebe, diante dele. Em um exemplo deixado por Moreno, pai e filho trocam de papéis. Para o fundador do psicodrama, cada um vê o outro com seus próprios olhos e com os olhos do outro. O que ele provavelmente queria dizer com isso é que a vivência psicodramática permite, nessa situação, que haja uma intuição a respeito do ser do outro. Entendia a troca de papéis como "vivência interna *simultânea* de dois papéis opostos". Vivendo ao mesmo tempo seu próprio papel e o de pai, o filho poderia desempenhar o papel à luz dessa experiência interna e fazendo-o de um modo tal que sua compreensão do pai se ampliaria, o mesmo acontecendo com o progenitor.

Na verdade, a inversão de papéis é mais facilmente realizada quando se trata de pessoas que se encontram no mesmo terreno psicológico e social, como é o caso de pais e filhos, casais ou pessoas que trabalham juntas.

Não basta propor o uso da técnica, dar a consigna "fique cada um no papel do outro para que o fenômeno descrito por Moreno ocorra. Muitas vezes é com a proposta da técnica que o cliente percebe quanto está distanciado do outro e quanto tem se fechado nos seus próprios pontos de vista. Esse fracasso pode, entretanto, ser terapêutico pelo fato mesmo de apontar quanto o outro é estranho e incompreendido. Moreno recomendava a inversão de papéis para aproximar um grupo cultural de outro, social e culturalmente distinto, embora reconhecesse que a dificuldade para a inversão seria proporcional à "distância cultural".

A realização máxima da técnica corresponde ao ideal do poema de Moreno:

E quando estiveres próximo tomarei teus olhos
e os colocarei no lugar dos meus
e tu tomarás meus olhos
e os colocarás no lugar dos teus.
Então te olharei com teus olhos
e tu me olharás com os meus.

A disposição e a convocação para a proximidade, expressas no poema, não são atingidas pelo mero uso da técnica. No psicodrama de casal, quando o uso da técnica chega a uma realização próxima do ideal, temos às vezes uma indicação de que é hora de encerrar o nosso trabalho. O afastamento e o isolamento de cada um dentro de um casamento são um exemplo da impossibilidade da troca de papéis. Geralmente essa ausência de proximidade acontece em relações em que há crise, conflito, seja no cotidiano, seja dentro de um grupo terapêutico.

A compreensão não é idêntica à plena aceitação. As intuições que podem ter lugar mediante o desempenho do papel do outro e da observação do próprio papel a partir da atuação do outro não implicam necessariamente o encontro moreniano ou a conquista de um relacionamento harmonioso, apesar de tenderem a facilitar um modo mais satisfatório de lidar consigo mesmo e com outrem.

Alguns terapeutas relacionam a capacidade de inverter papéis com a saúde mental. Com efeito, é preciso ter a percepção de si mesmo e do outro bem desenvolvida para desempenhar a inversão. Essa *performance* não é possível para uma mente muito autocentrada ou confusa. Por outro lado, notemos que Moreno lembrava que só os papéis que não estão confundidos com o próprio *eu* do protagonista podem ser bem desempenhados. O "fator tele", que consiste essencialmente na percepção de si e de outrem, precisa estar presente para que o sujeito tenha condições de praticar a inversão de papéis. Admitamos, contudo, que o psicodrama pode oferecer condições para que um protagonista conquiste ou descubra em si essa capacidade. Em certo sentido há um treino, de observação de si e de outrem, que aquece os participantes para uma inversão efetiva. Quando esta se dá, ambos se sentem compreendidos.

Não há uma medida objetiva da inversão de papéis. A arte do grupo que forma a plateia poderá reconhecer em A um bom desempenho do papel de B e vice-versa, mas o fundamental é o sentimento de cada um de que foi reconhecido, o que constitui muitas vezes uma experiência intransmissível.

Em seus comentários teóricos, Moreno afirmou que a técnica de inversão de papéis "tenta pôr em comunicação o inconsciente de A com o inconsciente de B". Para ele, o indivíduo teria de vencer dois tipos de "resistência": uma diante do próprio "inconsciente" e outra, "resistência interpessoal", diante do outro e de seu "inconsciente". Como o autor negava, apesar dessas considerações, que houvesse "um inconsciente", temos, mais uma vez, de procurar uma interpretação plausível de seus comentários. Parece que a inversão de papéis, quando o uso da técnica é bem-sucedido, permite uma intuição profunda dos próprios estados inconscientes e dos de outrem.

Há, ainda, uma observação curiosa de Moreno a respeito de uma dinâmica inconsciente no relacionamento interpessoal: "Se, por exemplo, trata-se de um pai e um filho, cada um pode muito bem encontrar-se no setor reprimido do inconsciente do outro. A troca de papéis torna possível para eles trazer à luz uma grande parte do que armazenaram no curso dos anos".

Notamos que, embora a teoria de "um inconsciente" seja rejeitada por Moreno, ele, contraditoriamente, ameaçou esboçá-la em algumas linhas. Mesmo se o inconsciente não é uma substância, é pelo menos um setor da mente onde pode haver conteúdos reprimidos, que vêm à tona em uma situação em que a pessoa real a que se referem os conteúdos está presente. A técnica de inversão de papéis teria, pois, esse poder de liberar o que estivesse reprimido no inconsciente. Esta seria, com efeito, uma forma revolucionária de o psicodrama lidar com o inconsciente. Mas falta precisão, falta clareza nessa teoria, faltam comentários sobre uma escuta do inconsciente a partir do papel do outro, faltam indicações a respeito de como a repressão é superada, permitindo vir à luz o reprimido. É pelo *aquecimento*? É pela *catarse*? As perguntas estão aí para quem quiser refletir sobre a prática e sobre as hipóteses morenianas.

Voltando a falar sobre "estados inconscientes", Moreno refere-se a "estados inconscientes comuns" a duas ou mais pessoas que estão "em relação íntima entre si". Para o autor, haveria algo como "uma ponte direta que ligaria um inconsciente com outro". Admitindo essa possibilidade, devemos entender a técnica de inversão de papéis como catalisadora dessa ponte, embora não haja esclarecimentos, por parte do autor, de como se produz tal resultado.

Para Moreno, a troca de papéis aumenta a força e a estabilidade do *eu* da criança, entendendo-se eu como a tomada de consciência da identidade consigo mesmo a que pode chegar o sujeito em desenvolvimento. Essa conquista aumenta a independência. Quando a troca de papéis com indivíduos maiores é frequente, facilitando o intercâmbio com uma vida mais rica e diferenciada, a criança está sendo estimulada para se pôr à altura dos papéis do adulto e, assim, desenvolver sua capacidade de invenção e de relacionamento interpessoal. Contudo, o próprio Moreno advertia que, quando o ego auxiliar troca de papéis com a criança em excesso, há perigo de excitá-la de modo indesejável e inadequado. Além disso, devemos observar que é difícil uma criança aceitar a troca com um papel que para ela não esteja valorizado, não tenha prestígio.

Na sociometria e na socionomia, a inversão de papéis é importante para o estudo das relações interpessoais e dos grupos pequenos. A *percepção recíproca* dos papéis em que atuam permite uma compreensão maior entre elementos de grupos. Para Moreno, pode-se encontrar correlação positiva entre o *status sociométrico* de um grupo íntimo e o volume de intercâmbio de papéis nele dominante. Dentro de um grupo, a frequência de troca de papéis de um indivíduo com companheiros influi no seu *status sociométrico*, que se define mediante o índice quantitativo de sua capacidade de ser eleito, rejeitado ou tratado com indiferença.

Apesar de sua importância, a inversão de papéis não é panaceia para todos os males, nem é sempre recomendada. Por vezes é preciso aguardar pacientemente até que o uso da técnica seja possível e permita uma efetiva experiência de crescimento para os protagonistas.

AS TÉCNICAS BÁSICAS E A MATRIZ DE IDENTIDADE

Moreno relacionou as três técnicas básicas do psicodrama com três grandes estágios da matriz de identidade. A identidade tem seu início nas fases mais remotas do desenvolvimento da criança, no interior da matriz de identidade, o lugar virtual onde esta recebe todas as influências de seu átomo social e onde ocorrem suas primeiras vivências. São várias etapas, de um estado de indiferenciação até o reconhecimento do outro, das quais a teoria moreniana destaca três grandes fases.

A primeira fase, a de dependência total do bebê em relação aos egos auxiliares, fase de indiferenciação, em que, no final, apenas se inicia a vivência de identidade, corresponde à técnica do duplo. Essa técnica não faria mais do que "imitar o método da natureza durante as primeiras semanas de vida da criança". Com efeito, a mãe, o primeiro ego auxiliar, é, nessa etapa, a mediadora entre a criança e o mundo, a provedora de suas necessidades. A técnica do duplo pressupõe que o indivíduo não esteja em condições de agir ou de se comunicar por si só e que necessite de um mediador, um ego auxiliar cuja atuação lembra a da mãe no início da vida de relação.

A fase do espelho ou de reconhecimento do eu corresponde a um marco fundamental no desenvolvimento, em que a descoberta da própria imagem propicia à criança, ao mesmo tempo, um estranhamento e um primeiro passo na direção do autorreconhecimento. Na experiência da criança, sua imagem refletida em um espelho ou na superfície da água causa primeiro estranheza e espanto. Aos poucos, ela vai descobrindo que os movimentos e expressões daquela imagem correspondem ao que ela está fazendo. Notemos que a técnica do espelho do psicodrama pretende despertar uma vivência semelhante à primitiva vivência infantil, fazendo que o protagonista comece a reconhecer a si mesmo, o que geralmente também não ocorre sem um estranhamento inicial, e não deixe de se dar também por meio do olhar de outros, que lhe devolvem sua imagem para que ele a reconheça.

Quando se torna capaz de reconhecer o outro, a criança torna-se também capaz de começar a desempenhar os papéis que observa e posteriormente de compreender o desempenho de seu papel por outro. No início, interessa-se mais por inverter papéis com a mãe. Suas condições de estabelecer e de compreender a troca indicam que está na etapa de inversão de papéis ou de reconhecimento do tu. Moreno e Zerka treinavam seu filho na inversão de papéis por volta dos 3 anos e, segundo Gesell, a partir dos 3 anos e meio a criança já é capaz de fazer brincadeiras teatrais em que troca de papéis com os pais. Mas lembremo-nos de que, segundo as pesquisas de Piaget, antes do estágio operatório (até 6 anos, mais ou menos), a criança ainda não tem condições intelectuais de se colocar na perspectiva do outro, o que indica que não há ainda possibilidade de uma inversão de papéis efetiva. A técnica de inversão de papéis é usada no psicodrama primeiro para oferecer ao protagonista condições de atingir a perspectiva de um outro, de captar o ponto de vista de um outro sobre ele e sobre si mesmo. Quando a técnica pode ser satisfatoriamente utilizada, temos uma indicação de que atingiu uma etapa fundamental de seu desenvolvimento. No caso do adulto, com o pleno êxito da técnica dentro de um processo terapêutico, também podemos reconhecer que foi atingida uma etapa favorável a seu relacionamento interpessoal.

CONSIDERAÇÕES FINAIS

Apesar de Moreno comparar as técnicas básicas do psicodrama com as primeiras vivências da criança ou com fases da matriz de identidade, isso não significa que um grupo ou um indivíduo, em seu processo de psicoterapia ou aprendizagem, tenha de ser submetido preferencialmente a cada uma das três técnicas, segundo a ordem das fases da matriz. O uso de cada técnica deve ser escolhido com base no momento, na situação vivida, pois as situações existenciais não se dão segundo um esquema linear de seguimento de etapas sucessivas. Em um mesmo grupo pode-se observar facilidade para praticar a inversão de papéis quando se trata de determinado tema e grande dificuldade posteriormente, quando o tema abordado é outro.

BIBLIOGRAFIA

GONÇALVES, C. S.; WOLFF, J. R.; ALMEIDA, W. C. de. *Lições de psicodrama*. São Paulo: Ágora, 1988.

MORENO, J. L. *Psicodrama*. Buenos Aires: Hormé/Paidós, 1961.

_____. *Psicoterapia de grupo y psicodrama*. Cidade do México: Fondo de Cultura Económica, 1966.

3. Técnicas dos iniciadores

Wilson Castello de Almeida

O ESTUDO DOS "INICIADORES" requer, como requisitos básicos de conhecimento, temas das psicologias sensorial, gestáltica e do imaginário, bem como da fenomenologia da percepção.

Para efeito didático, podemos conceituá-los como estimulações internas ou externas ao indivíduo, voluntárias ou involuntárias, físicas ou mentais, utilizadas para o aquecimento (*warming-up*) do paciente, de forma a sensibilizá-lo e introduzi-lo no desempenho espontâneo e criativo dos papéis na dramatização pretendida.

Os "iniciadores" vão desencadear sequências mnemônicas e imaginativas, atitudes corporais (memória motora), sentimentos (memória afetiva) e ações de várias ordens. Ativam ainda a sensibilidade e encaminham as pessoas à descoberta télica: cada uma será capaz de observar o outro, em suas manifestações emotivas e corporais, de forma simultânea e recíproca, o que pode ser registrado por um terceiro.

Por meio da percepção em sentido amplo, colocam o sujeito em situação no instante da vivência, permitindo-lhe incursionar por sua história de vida, interpretando-a e "ressignificando-a" para novas possibilidades existenciais.

O conceito deve ser entendido de modo dialético, dentro de um processo dinâmico. Ele não está somente no indivíduo, mas também não é um detonador isolado. É resultante da interação desses dois polos.

Dizendo de outra forma: para a sua efetivação, os "iniciadores" necessitam de um *locus* (zona) que delimita a área onde vai ocorrer o processo; de uma matriz (foco) para onde convergem os elementos participantes do *locus*; e do *status nascendi* (aquecimento propriamente dito), que traduz o momento e o modo como o processo se inicia.

O exemplo clássico é o do bebê mamando em sua mãe. O *locus* compreende o meio ambiente, o peito, o mamilo e o leite materno, a boca, os lábios e a língua do bebê; a "matriz" seria a relação lábios-mamilo; o *status nascendi* seria representado pelo movimento de sucção por parte do bebê e pelas contrações das glândulas por parte da mãe. Tudo isso em bases neurofisiológicas e psicoculturais. Um exemplo que se abre a muitas analogias.

São utilizados, em psicodrama, particularmente no tempo de aquecimento inespecífico, e poderão continuar a ser usados durante o aquecimento específico, conforme as necessidades técnicas. Eles estão presentes, participando de todas as demais técnicas, de forma antecedente, concomitante ou intrínseca a elas.

Moreno lembra-nos de que o "processo de aquecimento é a indicação concreta, tangível e mensurável de que estão operando os fatores da espontaneidade".

A viabilização do *status nascendi* é indicativo de que o paciente se interessa, se prepara e se esforça para caminhar em direção a um ato que é a busca mesma do psicodrama, por meio do exercício de papéis.

O ritmo do aquecimento, imposto pelos "iniciadores", não precisa corresponder, obrigatoriamente, ao tempo da ação do cotidiano, mas não deve ser tão rápido que impeça o envolvimento dos participantes, nem tão lento que venha criar um clima de desinteresse.

Em outro texto, afirmamos:

> O diretor do psicodrama deve ter bom conhecimento teórico das propostas morenianas, ser bem treinado em seu papel, estar bem entrosado afetiva e tecnicamente com os egos auxiliares, e ter boa percepção do que está ocorrendo, procurar a empatia com o grupo, buscar a relação télica, estar atento ao sistema de comunicação, através da observação direta e intuitiva, ter

bom manejo da ordem das propostas cênicas, desenvolver senso de ritmo e de oportunidade.

Os "iniciadores" podem ser usados um de cada vez, dois ou mais ao mesmo tempo, mas o fato é que todos convergem para os "iniciadores" finais, que são os mentais ou psicológicos. De qualquer forma, todos eles são responsáveis pela mobilização de afetos e explicitação de emoções.

E muitas vezes não há necessidade de "iniciadores": a dor moral, física ou psíquica supera qualquer artifício, e é ela propriamente o aquecimento-chave. Didaticamente, vamos apresentá-los na seguinte ordem:

1. físicos;
2. intelectivos;
3. temáticos;
4. sociorrelacionais;
5. psicoquímicos;
6. fisiológicos;
7. mentais ou psicológicos.

FÍSICOS

Andar, no conceito psicodramático, não é um cacoete de psicodramatista. Existe nesse ato um princípio simbólico, o compromisso tácito para com o trabalho a ser realizado. Quando eu aceito a proposta do diretor para movimentar-me, estou dizendo que aceito as regras do jogo, que me abro à participação lúdica sem reservas. Andar e expandir a musculatura é expressão de que me proponho à ação, à dramatização. Levantar-se, espreguiçar e deambular representam a superação da "conserva cultural", a quebra das resistências (no sentido psicodramático), e indicam disponibilidade para a aventura da criação, para o ato de nascer.

Inclui-se nesse capítulo toda a gama de acontecimentos, tais como expansão respiratória, gritos, sons inarticulados, mímicas, gestos, danças, contorções, alongamentos e vários tipos de atividades musculares.

Mais um item cabe aqui: o uso das tensões corporais localizadas para pesquisar processos emocionais. Ou ainda, como ensina Bustos, a transformação de um estado de ânimo em tensão corporificada que venha dar uma estrutura dramática contendo um personagem.

INTELECTIVOS

Esses "iniciadores" referem-se às ideias, mais particularmente àquelas que ocorrem no processo intelectual dos participantes do grupo, resultando numa produção expressiva.

Pode-se propor ao grupo conceber um esquete teatral e, ao representá-lo, permitir que ele sirva como fator de aquecimento.

Com o recurso do *brainstorm* o grupo proporá inúmeras ideias-título: vergonha, ternura, saudade, segredos, alegrias etc.

A partir das inspirações do seu cotidiano, cada um poderá trazer uma ideia-sugestão: o trabalho, o casamento etc.

As situações-limite das filosofias da existência poderão servir de ideias mobilizadoras de pensamentos profundos: morte, loucura, doença (axiodrama).

O bibliodrama, ação psicodramática a partir da leitura de um livro, é uma proposta esquecida, mas já experienciada com sucesso.

A leitura de jornais diários oferece-nos sugestões estimulantes no plano ideativo-emocional, podendo ser utilizada na produção do Jornal Dramatizado.

TEMÁTICOS

Esses "iniciadores" são um subgrupo dos intelectivos.

A proposição temática mais forte da história do psicodrama, que permitirá mobilizações densas e significativas, é o próprio título que Moreno deu a seu trabalho de sociometria: *Who shall survive?* A que mais bulício causou no meio psicodramático veio por meio do livro dos argentinos Kesselman, Pavlovsky e Frydlewsky: as cenas temidas do coordenador de grupos.

Na literatura, o tema clássico é o da obra de Marcel Proust: *Em busca do tempo perdido.* Outros títulos podemos buscar nas histórias infantojuvenis: *A gata borralheira, Branca de Neve e os sete anões, Peter Pan, O mágico de Oz* e *Os bichos do céu.*

O cinema é pródigo em temas interessantes: *A janela indiscreta, Cenas de um casamento, Jornada nas estrelas, No tempo da inocência, Romeu e Julieta, Os caçadores da arca perdida, Gritos e sussurros, De volta para o futuro.*

O teatro nos dá: *Álbum de família, Vestido de noiva, Toda nudez será castigada, A mulher sem pecado, Perdoa-me por me traíres.* Coincidentemente, nesta citação todas são peças de Nelson Rodrigues.

Os temas musicais também provocam muita inspiração. Da MPB, temos "Roda-viva" e "Com açúcar e com afeto", de Chico Buarque, "Travessia" e "Sentinela", de Milton Nascimento, e muitos outros.

Os textos poéticos também exercem a função de iniciador. Coloquemos ante o grupo o poemeto perdido:

Antes que o sol se ponha
Antes que a luz se vá
Alguém tem que ficar
Para que outros venham
Para que outros fiquem.

Grupos específicos já contêm em sua proposta de trabalho um iniciador temático: diabete, menopausa, reumatismo, aids.

Frases soltas têm a mesma função: "A criança vê o mundo pelos olhos dos pais". "O diretor põe e o grupo dispõe".

SOCIORRELACIONAIS

No gesto moreniano de tomar o paciente pelo braço, de envolvê-lo pelos ombros, de sorrir-lhe, de andar junto com ele pelo espaço dramático, de animá-lo para a tarefa está a mensagem de acolhimento que é uma das formas mais calorosas de "iniciador relacional".

O psicodrama da cadeira real, levado a efeito por Moreno no dia 1º de abril de 1921, no Komödienhaus de Viena, revela o exemplo típico de iniciador social. O *warming-up* foi feito fora do teatro, a partir dos comentários que tomavam conta das rodas de esquina e dos cafés vienenses. Todos os participantes estavam envolvidos nos conflitos sociopolíticos daquele instante histórico.

Como exemplo misto do sociorrelacional estão os diálogos que ocorrem nos subgrupos de um grupo terapêutico, antes mesmo de se iniciar a sessão, na sala de espera, envolvendo participantes e os assuntos que trazem do seu contexto social, ou de uma sessão anterior.

Toda e qualquer iniciativa de proposta que parta do diretor para o grupo caracteriza-se como iniciador relacional. Também as sugestões dadas durante estados hipnoides ou de relaxamento são tidas como iniciadores relacionais, pois envolvem, igualmente, aspectos télico-transferenciais entre pacientes e terapeuta.

A apresentação de um novo membro para o grupo funciona como iniciador relacional.

PSICOQUÍMICOS

Os iniciadores dessa ordem podem ser usados de forma oral ou parenteral e constituem-se em bebidas, medicamentos, drogas que tenham ação sobre o sistema nervoso central, alterando o estado vigil da consciência e estimulando a percepção em nível inalcançável pelo pensamento e a imaginação comuns.

O livro *As portas da percepção*, de Aldous Huxley, não pode deixar de ser lido pelos profissionais da área psi por tratar exatamente desse tipo de experiência, levada a efeito de forma radical.

FISIOLÓGICOS

Nessa categoria incluem-se as estimulações do tato, da audição, do paladar e do olfato, dos estados cenestésicos e da visão. Essas possibilidades vão permitir não só o conhecimento do corpo, mas a corporalidade, que é o corpo vivenciado; não só a percepção externa, mas a intracorporal; não só o corpo isolado, mas o corpo em relação e delimitado diante do outro.

O *tato* seria o primeiro sentido a surgir no desenvolvimento humano e o último a desaparecer com a morte. Ele está presente em toda a superfície corporal e é capaz de complementar e auxiliar os demais sentidos. É fonte de inspiração e imaginação criadora, mobilizando sentimento e despertando emoções. Nas relações amorosas, é fundamental. As curas pelas mãos ou pelo toque, as massagens terapêuticas utilizam-se dessa extrema sensibilidade do corpo para atingir seus objetivos.

Na prática psicodramática podemos começar um aquecimento inespecífico, entregando ao grupo material diversificado quanto à sua forma e textura: pedaços de seda, flanela, estopa, madeira, lixas, borrachas, pedindo que, a partir das sensações surgidas, o grupo possa tecer tramas imaginativas. Numa proposta mais ousada, que vai depender da aceitação grupal, pode-se propor que os participantes se toquem e percebam as sensações causadas pelo ato de tocar e ser tocado.

A *audição* começa a ser estimulada pela própria palavra do diretor ao dar suas consignas. Tom, timbre e intensidade de sua voz poderão atingir cada participante de formas diversas: da ternura à aspereza. Excetuando as qualidades concretas da voz, a forma como seu som chega dentro do processo de compreensão de quem ouve dependerá da evocação sentimental provocada.

Muitos testes podem ser sugeridos: ouvir os sons do meio ambiente ou da natureza; ouvir a própria voz e a dos companheiros, discriminando qualidades como tensionada, lamuriada, alegre, firme, sonora; ouvir os "sons internos", seja de forma metafórica ou como realidade psíquica, pois somos capazes de "ouvir" vozes e músicas de nosso arsenal mnemônico.

Escutar melodias para despertar sentimentos é outro uso dos iniciadores auditivos. O canto gregoriano e o cantochão são adequados para os estados de relaxamento e êxtase espiritual. A batida selvagem, monocórdica, de cadência monótona, favorece o primitivismo emocional, estados de transe, crises histéricas. O acalanto promove sensação de paz, ternura e segurança. As cantigas de roda, alegria, rememorações e vitalidade. Músicas suaves, tipo canções, são responsáveis por sentimentos românticos, lembranças, serenidade. As sinfonias propiciam emoções fortes, estados apaixonados de encantamento e arrebatamento. As músicas carnavalescas e afins promovem estados de agitação e exuberância. A sensualidade, em seus vários tons, poderá estar presente em todas essas estimulações. E as reações paradoxais podem ocorrer, dependendo de como as músicas são ouvidas e sentidas pelas pessoas.

Paladar e olfato funcionam praticamente juntos e é assim que serão estimulados na sua função de iniciadores. Usam-se sais, açúcares, especiarias e substâncias picantes para serem colocadas sobre a língua, e substâncias voláteis, balsâmicas ou aromáticas para serem aproximadas das narinas. Por uma questão de elementar elegância, evitam-se sabores e odores nauseabundos que provoquem repugnância. Apesar de não se tratar de exercícios finos de degustação, de qualquer forma nessa técnica é utilizado o "princípio do reflexo imaginativo" encontrado na arte degustativa.

Os odores emanados da transpiração dos participantes do grupo ou de seus perfumes podem servir de iniciadores, promovendo reações de atração, repulsão e excitação sexual.

TÉCNICAS FUNDAMENTAIS DO PSICODRAMA

Os *estados cenestésicos*, ou sensações corporais específicas, são expressão orgânico-funcional de determinada situação psíquico--emocional. Falamos nesses casos da forma como o sentimento "pegou" o corpo. O sentimento de saudade aperta o peito, a raiva crispa os músculos, a antipatia do outro enoja o estômago, o amor causa um *frisson*. São as metáforas somáticas.

O poeta é capaz de transmitir as dores e alegrias do mundo, existentes na realidade, despertando-nos emoções várias e vivências significativas que atingem a um só tempo a alma e o corpo. Uma poesia nos arrepia, dispara o coração, é um "soco na boca do estômago", nos leva às nuvens.

A *visão* se apresenta com quatro enfoques: o da visão exterior, aquilo que vemos de acordo com o senso comum; o da visão interior ou introvisão; o da visão imagética ou eidética dos estados ilusórios e alucinatórios; e o da visão mística.

No exercício da *visão exterior* lembramos, de início, o que foi dito por Proust: "Mais importante do que viajar por vários lugares, com um par de olhos, é percorrer a mesma terra com muitos e diferentes olhos". Assim, o próprio ambiente onde o grupo se encontra pode ser olhado minuciosamente, vasculhado, percebendo-se detalhes até então insuspeitados. Olhar os colegas, divisando-lhes particularidades, é um jeito de aproximar-se do outro. Olhar o próprio corpo, da mesma forma, é um processo de autoconhecimento.

No uso da visão exterior pode-se propor outros exercícios: olhar retratos, permitindo-se recordações várias; montar imagens estáticas para simbolizar conceitos; olhar gravuras, quadros artísticos, filmes que possam trazer subsídios ao ato do aquecimento.

Ronaldo Pamplona da Costa propõe ao grupo assistir, pelo vídeo, a trabalhos não terapêuticos de outros grupos, ou a sessões anteriores do próprio grupo terapêutico, conseguindo, assim, motivá-lo a partir de outra ação dramática.

Alguns terapeutas propõem aos participantes de um grupo assistir a um filme ou a uma peça teatral, isoladamente ou em grupo. Em uma sessão combinada faz-se o psicodrama daquela experiência estético-emocional.

A *introvisão*, por sua vez, permite dois desdobramentos. Um é o de olhar para dentro, no sentido de pesquisar imaginativamente nosso mundo intelectivo-emocional. Neste caso, Fonseca Filho introduz o que ele chama de "visualização", capacidade que superaria os estados imaginativos da psicologia clássica, sem, no entanto, pertencer aos estados místicos. Essa "visualização" ocorreria em um terceiro estado de consciência, em que uma atenção sutil sobre si mesmo, fruto de um treinamento especial, "permitiria um ver inusitado", que não é ver aspectos de objetos e das coisas, mas é um "despertar verdadeiro". A partir daí, ele trabalha com a técnica de sua criação, o psicodrama interno, conforme nos ensina em seu texto "Psicodrama Interno", trabalho apresentado no II Congresso Brasileiro de Psicodrama, em Canela (RS), 1980.

O segundo modo de introvisão "olha" o interior do corpo anatômico, das estruturas orgânicas, percorrendo o fluxo sanguíneo, examinando a arquitetura hepática, escorregando pelas vilosidades gastrointestinais, escalando a coluna vertebral, insinuando-se pelas sinapses nervosas, buscando a linguagem dos órgãos.

As visões alucinatórias, geralmente, não são estimuladas, mas se ocorrem em uma sessão psicodramática serão trabalhadas conforme cada situação, em sua especificidade. Podem ser usadas para a elucidação de um conflito, "acalmadas" para tranquilizar o paciente em pânico ou outra iniciativa do momento.

As visões místicas, venturosas, podem ocorrer nos exercícios contemplativos e nas meditações religiosas, e levar a transes visionários (estes, por sua vez, não são obrigatoriamente místicos) em que a luz e a cor transfiguram os objetos ou são deles emanados. Trata-se de experiências de "iluminação", cujo exemplo clássico são as de Santa Tereza d'Ávila.

Enfim, ver, em sentido profundo, é a proposta de se enxergar as coisas não só no seu aspecto físico ou intelectual imediato, mas

MENTAIS OU PSICOLÓGICOS

Imagens, imaginação, fantasia, imaginário são temas que um leitor precisa ter bem conceituados para compreender a proposta moreniana dos iniciadores mentais.

É importante conhecer a ambiguidade da função imaginativa: ela está ligada à percepção, como registro neurofisiológico das sensações, bem como à sensibilidade perceptiva que intelectualiza as fantasias e poetiza as imagens. Em ambos os casos, há mobilização de afetos e explicitação de emoções, promovendo sentimentos espontâneos e pensamentos criativos. Essas ocorrências permitem a autenticidade do conhecimento, a significação da produção psíquica e a possibilidade da simbolização, tão necessárias ao equilíbrio mental e à integração do indivíduo consigo mesmo e com os demais.

A função imaginativa, desde os tempos primitivos, desde o começo do pensamento humano, explicita-se por jogos, brincadeiras, sonhos, devaneios, pela criação artística, pelas construções místicas, enfim, pelo mundo do imaginário. Para Freud e Jung, bem como para Moreno, ela permitiria resolver os afetos do campo inconsciente.

Deve-se ter em conta que a imaginação cria situações mais ricas e mais brilhantes do que a própria realidade externa, fato para o qual o psicoterapeuta tem de estar atento. Há de se cuidar da imaginação das pessoas nervosas, hipersensíveis, que se caracteriza pela multiplicidade de imagens e instabilidade, causando a pulverização das emoções, a perversão do desejo e a patologização das relações afetivas. É preciso ficar alerta para que a imaginação fantasiosa não venha trazer ou agravar dificuldades no desempenho dos papéis sociais do indivíduo. Somente dar corda às fantasias de qualquer ordem não é garantia de que possa haver reparação da problemática emocional subjacente.

CONSIDERAÇÕES FINAIS

O psicodramatista tem de ter em mira como se dão as relações humanas do paciente, a responsabilidade que ele tem para com os sentimentos do outro e para com os seus próprios. As fantasias deverão ser "trabalhadas" nesse nível, como busca da estabilidade emocional da inter-relação, da elucidação dos conflitos e, então, das mudanças e transformações possíveis.

Admitindo que este texto venha a servir de "iniciador", espero que quem o leia possa se aquecer para as técnicas fundamentais do psicodrama – sem dúvida, fonte inesgotável de surpresas para uma rica compreensão do ser humano em sua trajetória relacional e, que se deseja, saudável e construtiva. Télica.

BIBLIOGRAFIA

ALMEIDA, W. C. de. *Psicoterapia aberta: formas do encontro*. São Paulo: Ágora, 1988.

BUSTOS, D. N. *Nuevos rumbos en psicoterapia psicodramática*. La Plata: Moriento, 1985.

GUILLAUME, P. *Manual de psicologia*. São Paulo: Nacional, 1956.

MERLEAU-PONTY, M. *Fenomenologia da percepção*. Rio de Janeiro: Freitas Bastos, 1971.

MONEDERO, C. *Introducción a la psicopatología*. Madri: Biblioteca Nueva, 1977.

MORENO, J. L. *Psicodrama*. São Paulo: Cultrix, 1975.

MUELLER, C. G. *Psicologia sensorial*. Rio de Janeiro: Zahar, 1966.

SARTRE, J. P. *Bosquejo de una teoría de las emociones*. Madri: Alianza Editorial, 1971.

WINNICOTT, D. W. *O brincar e a realidade*. Rio de Janeiro: Imago, 1975.

PARTE II

4. O teste sociométrico

Fani Goldenstein Kaufman

> As relações humanas apresentam dupla direção. Os sentimentos
> que expressa uma pessoa em relação a outra apresentam o
> primeiro aspecto da questão: o outro aspecto compreende os
> sentimentos que suscita a seu respeito, em seu companheiro.
> (Moreno, 1972)

SUA HISTÓRIA, SEU CONTEXTO

Estados Unidos da América, década de 1920. Um país conturbado, vivendo ainda como várias nações os efeitos da Primeira Guerra Mundial. Um país para onde confluíam esperançosos imigrantes das mais distintas localidades em busca de oportunidade. Diferentes povos, diferentes etnias, diferentes culturas e uma busca subjetiva comum: encontrar um espaço. Um lugar onde pudessem se instalar com segurança para ser e existir, vendo realizadas esperanças e expectativas de uma vida confortável e vitoriosa.

É nessa miscelânea sociocultural, nesse país que almeja um lugar privilegiado entre as potências, dividido e fragmentado em tantos subgrupos, que aporta Moreno. Mais um imigrante que carrega em si traços de diferentes culturas: judeu que viveu sua juventude na Áustria, romeno de nascimento e em processo de aculturação no "país das oportunidades".

Com fortes influências religiosas e filosóficas na sua trajetória pessoal, o jovem fundador da Religião do Encontro, diplomado médico da Áustria, chega ao país que se qualifica tomando como referência as cifras, o *quantum*, levando consigo seu recente invento: o aparelho audiovisual. Revela desde aí sua preocupação com o registro e a medição.

Genial, oportuna e atentamente detecta como uma das necessidades da sociedade norte-americana de então a integração dos grupos e sua busca de uma cultura nacional comum. Mas detecta também que existem algumas motivações subjacentes que fundamentam a constituição dos vários subgrupos, fatores determinantes nas atrações e rejeições intra e intergrupais. Observando os movimentos e deslocamentos geográficos da população, Moreno constata que existem motivações diversas, como as de ordem econômica, racial, cultural e religiosa. Porém, tais motivações para os movimentos migratórios são apenas desencadeadoras, tendo por base motivações psicológicas.

Fator constante na vida e obra de Moreno, sua preocupação com os aspectos sociais vai levá-lo a considerar e propor a revolução sociométrica. Busca construir um método experimental para as ciências sociais, pelo qual possa encorajar cada indivíduo a encontrar sua família sociométrica, ou seja, um lugar de convivência afetiva baseado nas próprias escolhas. Com essa proposta, cria o teste sociométrico: um instrumento de pesquisa, realizado a partir do interior do grupo, que visa confirmar a existência de certos padrões característicos da organização grupal, suas expressões e configurações no momento da aplicação, a interdependência entre a qualidade dos vínculos e as ações produzidas. É, ainda, um guia para a eventual reconstrução dos grupos: "Situa o grupo desde o seu interior e suas relações com outros grupos; produz uma revolução social, numa escala microscópica" (Moreno, 1951). Assim, qualquer mudança de posição de qualquer indivíduo afetará a estrutura grupal como um todo.

Em tese, pode-se aplicar o teste sociométrico em qualquer grupo: homogêneo ou heterogêneo, natural ou sintético, formal/institucional ou sociométrico. Porém, certos cuidados devem ser tomados ao se propor sua utilização, pois o uso parcial e indiscriminado pode gerar situações danosas para um grupo.

Quando se indica sua aplicação, os objetivos devem ser claros. Ele deve estar, sempre, a serviço do grupo e de seus integrantes.

O QUE É O TESTE SOCIOMÉTRICO

O teste sociométrico "consiste em pedir ao sujeito para escolher, no grupo ao qual pertence ou ao qual poderá pertencer, os indivíduos que gostaria de ter por companheiros" (Moreno e Jennings, 1938).

Atualmente, costuma-se adotar dois questionários – o do teste sociométrico objetivo e o do teste sociométrico perceptual, em que esta pergunta, além de ser mais bem objetivada, é ampliada (são explicitadas as razões das escolhas), resultando numa maior riqueza na obtenção dos dados. Na sua versão original os motivos das escolhas não eram registrados por escrito, mas revelados posteriormente por entrevistas individuais.

Assim, o teste sociométrico objetivo vai averiguar como cada elemento do grupo efetivamente escolhe e é escolhido pelos outros, a partir de determinado critério. Por sua vez, o teste sociométrico perceptual vai indicar como cada elemento do grupo acredita ser escolhido pelos demais, bem como a maneira como é percebido pelos companheiros.

Verifica-se uma tendência parcial no uso do teste sociométrico. É comum vê-lo transformado num procedimento meramente matemático, no qual o que se busca é fundamentalmente a medida das interações. Perde-se, com isso, a perspectiva da qualidade dos vínculos, levando a um consequente desvirtuamento da proposta original. Cabe lembrar que é a partir do teste sociométrico que emergem importantes conceitos teóricos, como tele, transferência, átomo social e rede sociométrica.

Moreno o concebe partindo da premissa de que o homem é um ser relacional e que a realidade social se configura como síntese, interpenetração dinâmica de um universo subjetiva e intersubjetivamente vivenciado – matriz sociométrica por um lado e, por outro, a chamada sociedade externa, patrimônio dos grupos e instituições aparentes. "[...] Por fim, entendo por realidade social a síntese e interpenetração dinâmica das dimensões precedentes. É evidente que nem a matriz nem a sociedade externa têm realidade por si mesmas, sendo uma função da terceira. Devem, por assim dizer, surgir de uma oposição dialética para dar nascimento ao processo real da vida social" (Moreno, 1951).

Portanto, não costuma ser muito comum que a estrutura interna e profunda de um grupo, com suas verdadeiras motivações, possa ser detectável e apreendida apenas mediante os aspectos aparentes e visíveis das ações e interações.

Assim é que Moreno vai nos apresentar o Teste Sociométrico como um instrumento que possibilita investigar a verdadeira natureza dos vínculos, das interações e comunicações emitidas e recebidas pelos elementos de um grupo. É um método de ação, em que a investigação é feita em *status nascendi*, no *aqui e agora* dos grupos, a partir do seu interior. Cada elemento a ser testado é convertido também em pesquisador. É o grupo que se pesquisa, e, embora o sociômetra detenha o instrumento, o objetivo e os resultados do teste são sempre um patrimônio do grupo em questão. As atrações, rejeições e indiferenças visam esclarecer para cada integrante seu lugar, sua posição e suas motivações naquele grupo específico.

A vida social produzida pelos grupos fica deflagrada pela confrontação das duas vertentes do teste sociométrico: objetivo e percentual. Matriz sociométrica e sociedade externa, vínculos transferenciais e télicos, atualizados e representados nas interações grupais, encontram seu *locus* de explicitação.

Lembro aqui um importante estudo realizado por Anna Maria Abreu Costa Knobel – "O teste sociométrico centrado no indivíduo" –, que mostra como a partir do vínculo em ação pode-se atingir o mundo interno dos indivíduos, bem como questões relativas à psicodinâmica individual. Fonte de preocupação para Moreno, os grupos institucionais foram o ponto de partida para o desenvolvimento das pesquisas sociométricas. Em seu livro *Who shall survive?*, ele relata exaustivamente o estudo sociométrico realizado na prisão de Hudson, Nova York, em 1934. Ali

REGINA FOURNEAUT MONTEIRO (ORG.)

descreve o teste sociométrico como o concebeu: um questionário em que os membros do grupo registram por escrito suas eleições, que são posteriormente tabuladas a partir de índices que nortearão a classificação sociométrica do indivíduo e de seus vínculos. Esses índices vão definir a posição sociométrica de cada moça dentro da comunidade de Hudson[1].

A partir desses índices, cada moça é classificada e sua posição é definida na comunidade, indicando posições favoráveis ou desfavoráveis na rede afetiva e social. Com tais dados, e com outros obtidos com base em diferentes critérios, Moreno vai trabalhar e propor a reorganização da coletividade.

Fica clara nesse estudo a ênfase dada por ele aos resultados obtidos com base no teste sociométrico objetivo. Entretanto, para aqueles que trabalham com grupos terapêuticos, os índices resultantes da aplicação do teste sociométrico percentual são de fundamental importância, tornando-se alvo de especial interesse. Denunciam e esclarecem conflitos grupais, ao revelar a presença de relações télicas ou de depositações transferenciais nos vínculos, bem como de distorções na comunicação de mensagens, no seu duplo aspecto: emissão e percepção. É a partir do teste perceptual que se verifica se o grupo internalizado por determinado indivíduo – portanto, o grupo com o qual está se relacionando – corresponde efetivamente ao grupo real.

Vários estudiosos de grupos se dedicaram ao teste sociométrico. Respeitando sempre os princípios estabelecidos por Moreno, foram introduzidos e sugeridos diferentes índices e gráficos para a abordagem dos dados obtidos com base nos questionários. Dentre esses autores, convém citar Georges Bastin, Georges Gurvitch e

---

1. A comunidade de Hudson era uma instituição para onde eram levadas jovens que tinham perdido o direito à convivência com o grupo familiar natural. Ali viviam encerradas algumas centenas de moças cujos laços afetivos haviam sido cortados. A proposta de Moreno para aquela comunidade era possibilitar a explicitação dos laços entre elas, para que pudessem ter uma melhor condição de vida naquele novo lugar psicológico e social.

48

Técnicas fundamentais do psicodrama

Jules Chaix-Ruy (na Europa), Ann E. Hale e Helen Jennings (nos EUA) e, no Brasil, Anna Maria A. C. Knobel, Antônio Gonçalves dos Santos, José Carlos Landini e Dalmiro M. Bustos. Vivenciei pela primeira vez o teste sociométrico num grupo dirigido por Bustos, em São Paulo. Na condição de professora na Sociedade de Psicodrama de São Paulo e no Departamento de Psicodrama do Instituto Sedes Sapientiae, costumo adotar, pela clareza didática com que transmite os vários aspectos do referido teste, seu livro *O teste sociométrico*, publicado em 1979.

Por essas duas razões, opto pelo modelo proposto por Bustos, no manejo e interpretação do teste sociométrico.

QUANDO E POR QUE APLICÁ-LO

- Na investigação da estrutura interna, subjacente, de um grupo, a ser confrontada com o grupo oficial:
  a) A real posição ocupada por cada um dos componentes do grupo.
  b) A posição que cada um acredita ocupar.
  c) A estrutura sociométrica do grupo: atrações, rejeições, indiferenças, mutualidade, incongruências, isolamento e as respectivas motivações.
- Em situações em que o grupo se vale de sua dinâmica, utilizando-a como resistência ao aprofundamento do trabalho psicoterápico diante de temas tabus: morte, sexualidade, loucura, agressividade etc.
- Para propiciar maior coesão e continência grupal.
- Quando se julgar necessária a oficialização e/ou desmistificação de possíveis situações de aliança, fragilidade, tensão, agressividade e isolamento existentes no grupo.
- Em grupos recém-formados, visando identificar:
  a) os vínculos télicos, transferenciais e empáticos;
  b) os vínculos preexistentes entre os membros do grupo;

c) o diagnóstico das necessidades e possibilidades atuais de intervenção;

d) o nível de risco e aprofundamento possíveis nessa fase do processo grupal.

- No término de um grupo, para esclarecer possíveis pendências nos vínculos. Isso dá suporte para o término ou a continuidade das relações entre os ex-companheiros de grupo.
- Ao se fazer necessária uma reestruturação nos vínculos.
- Para a distribuição de tarefas, em grupos operativos.

PONTOS BÁSICOS PARA O ENTENDIMENTO DO TESTE SOCIOMÉTRICO

CRITÉRIO

O critério sociométrico é, segundo Moreno (1972), "o motivo ou motor comum que direciona os indivíduos com o mesmo impulso espontâneo a um determinado fim". É ele que vai determinar "para que" se escolhe, e por isso as configurações grupais estão intimamente relacionadas ao critério. Sem um critério claramente estabelecido, não se pode falar em escolha sociométrica. Resultaria num retorno ao motivo básico, primário, da esfera exclusiva dos afetos: "como desejo e sou desejado".

Busca-se, no momento da aplicação de um teste sociométrico, a definição de um critério que seja de real interesse para o grupo investigado. Isso vai propiciar maior grau de compromisso nas escolhas, sobretudo porque o ideal é que o critério para o qual se escolhe venha a ser efetivamente cumprido. É claro, entretanto, que seria um tanto ingênuo acreditar que, ao se optar por um critério objetivo e cognitivo, não estivessem embutidas questões da esfera afetiva.

Porque são tantas as possibilidades de escolha de critério, e tantas as maneiras como podem vir a ser interpretadas pelos componentes do grupo, o critério deve ser ampla e exaustivamente discutido, para que todas as escolhas possam ser feitas visando ao maior rigor de objetividade possível.

SOBRE AS CATEGORIAS E RAZÕES DE ESCOLHA

1. *Positiva*: proximidade, atração, desejo de compartilhar.
2. *Negativa*: distância, rejeição, recusa a compartilhar.
3. *Neutra*: indiferença, ambivalência, nem desejo nem recusa.

Ann Hale (1981) aponta algumas questões que podem estar embutidas nesse tipo de resposta:

- A escolha se dá dessa forma apenas para esse critério específico.
- O vínculo não foi cuidadosamente examinado – falta de informações e conhecimento sobre o outro.
- Indiferença por falta de estímulo para a escolha do outro.
- Ambivalência: coexistem fatores positivos e negativos, neutralizando a resposta.
- A pessoa escolhe dessa maneira para não se comprometer com a escolha.

Tais questões tendem a ser esclarecidas pelas justificativas dos questionários. Assim, ocorre às vezes que uma resposta aparentemente neutra se converte numa escolha positiva ou negativa.

Portanto, os motivos ou razões por que se escolhe são uma referência preciosa para a compreensão do indivíduo e de seus vínculos. Ao revelar as razões e a maneira pela qual procede as suas escolhas, pode levar a importantes questões, não só relativas a possíveis distorções, mas também a respeito de como lida com situações de aceitação, ambivalência ou rejeição nas suas interações.

Podemos pensar, por exemplo, no que significa para determinado elemento escolher apenas positivamente. Por que ele não pode escolher negativa ou indiferentemente? E o indivíduo que se percebe recebendo maior número de escolhas negativas do que de fato obteve, qual o significado? Há ainda aqueles que escolhem os companheiros de maneira idêntica àquela como acreditam ter sido escolhidos por eles. Existem elementos que não fazem escolhas indiferentes: por quê? Essas e muitas outras relevantes questões são levantadas ao se discutir o teste com o grupo.

SOBRE A NATUREZA DOS VÍNCULOS

Vínculo em mutualidade: quando duas pessoas se elegem com o mesmo sinal ou de acordo com a mesma categoria. A mutualidade chama-se relativa quando não é percebida como tal pelos componentes do vínculo e pode indicar a presença de situações transferenciais num vínculo com aparente padrão télico de escolha.

Vínculo em incongruência: quando há desencontro nas escolhas, ou seja, quando duas pessoas se elegem com diferentes sinais.

Ao solicitar no teste a explicitação da hierarquia das eleições, fica revelada a intensidade com que cada elemento efetua sua escolha, aportando assim quem, em cada vínculo, detém o controle: aquele que determina o padrão da relação e aquele que precisa investir mais (adaptando-se aos valores do outro) para que a relação possa fluir.

O SOCIÔMETRA

O sociômetra não é apenas um estudioso da estrutura e da dinâmica do grupo e suas configurações. É coprodutor dos contornos grupais, e seu referencial é o referencial interno do grupo. É um pesquisador em *status nascendi*, um ator participante do processo exploratório. Como participante subjetivo-objetivado, as possibilidades de um viés interpretativo praticamente inexistem, uma vez que todo o processo do teste sociométrico – da aplicação, realização, leitura e elaboração dos dados – costuma ser feito na presença e com a participação ativa dos membros do grupo.

PROCEDIMENTO TÉCNICO, DESDOBRAMENTOS E ANÁLISE

A) AQUECIMENTO PARA A APLICAÇÃO

No momento que antecede a aplicação do teste, é comum que o clima grupal seja permeado por certo grau de tensão, justificado pelas implicações da tarefa a ser desempenhada: as

TÉCNICAS FUNDAMENTAIS DO PSICODRAMA

pessoas tendem a temer, como em outras situações de vida, o momento da oficialização de suas escolhas. Falivene Alves (1982) oportunamente lembra a presença da questão do desejo e da ansiedade gerada pelas fantasias em torno dessa questão na situação do teste.

Como em todo procedimento psicodramático, para a aplicação do teste sociométrico deve-se buscar propiciar a liberação do grau máximo de espontaneidade de cada participante, cumprindo para isso uma boa etapa de aquecimento. Por isso, costuma-se:

- Discutir exaustivamente o critério sociométrico do teste, até estar assegurado de que tem o mesmo significado para todos os membros do grupo. Nessa etapa discute-se o *para que*, o *como* e o *quando* se dará a realização do critério.
- Deixar claro que serão realizadas "n-1" escolhas, onde "n" corresponde ao número de integrantes do grupo. Assim, todos os elementos deverão ser escolhidos.
- Comunicar a obrigatoriedade da explicitação da hierarquia (intensidade) nas escolhas feitas. Os motivos pelos quais se escolhe em dada categoria também devem ser explicitados.
- Esclarecer que, embora existam três possibilidades ou categorias de escolha (positivo, negativo ou indiferente), não há obrigatoriedade de escolha dos três sinais.
- Comunicar aos participantes que cada elemento tem um tempo e um ritmo próprios que devem ser respeitados.
- Solicitar ao grupo que sejam evitadas quaisquer verbalizações e comentários durante a execução do teste.
- Esclarecer todas as dúvidas e questões que porventura surjam em relação ao teste sociométrico.

Cumprida a etapa de aquecimento, são entregues dois questionários a todos os membros do grupo simultaneamente. Esses questionários correspondem, respectivamente, ao teste sociométrico objetivo e ao teste sociométrico perceptual.

B) OS QUESTIONÁRIOS

Teste sociométrico objetivo

Nessa etapa é solicitado a cada membro do grupo que eleja hierarquicamente os demais companheiros em função do critério estabelecido e segundo os três sinais (ou categorias de escolha) possíveis: positivo, negativo e indiferente ou neutro.

QUESTIONÁRIO DO TESTE SOCIOMÉTRICO OBJETIVO

Nome:

Data:

Critério: "Quem eu escolho para..."

Escolhas positivas (+): quem eu escolho segundo tal critério (explicite a ordem de preferência e o(s) motivo(s) de cada escolha).

Escolhas negativas (-): quem eu não escolho segundo tal critério (explicite a ordem de rejeição e o(s) motivo(s) de cada escolha).

Escolhas indiferentes (+/-): quem do grupo me é indiferente segundo este critério (explicite a ordem de indiferença e o(s) motivo(s) de cada escolha).

Teste sociométrico perceptual

Solicita-se a cada membro do grupo que indique como e por que acredita ter sido escolhido pelos companheiros no teste sociométrico objetivo. Porém, nesta etapa, dispensa-se o rigor de ordem hierárquica pelo qual acredita ter sido escolhido. Entretanto, pode-se pedir que a pessoa comece em cada categoria (+, -, +/-) pelas escolhas recebidas que são mais claras para ela e que indique se julga estar entre as primeiras ou entre as últimas escolhas do outro.

QUESTIONÁRIO DO TESTE SOCIOMÉTRICO PERCEPTUAL

Nome:

Data:

Critério: "Quem eu acho que me escolheu para..."

Escolhas positivas (+): quem me escolheu positivamente para...; fui escolhido dessa maneira porque...

Escolhas negativas (-): quem me escolheu negativamente para...; não fui escolhido porque...

Escolhas indiferentes (+/-): quem me escolheu indiferentemente para...; fui escolhido com indiferença porque...

C) SOCIOMATRIZ OU MATRIZ SOCIOMÉTRICA

Na medida em que os questionários vão sendo entregues, já se pode proceder ao tabulamento. Num quadro de dupla entrada são registrados os dados colhidos no questionário do teste objetivo.

Os componentes do grupo são ordenados e cuida-se para que a distribuição dos nomes seja feita na mesma ordem, quer vertical, quer horizontalmente.

Na linha horizontal, registra-se como foram feitas as escolhas dos companheiros por parte do membro do grupo cujo nome aparece à esquerda, na coluna vertical. Na linha vertical, abaixo do seu nome, saberemos como aquele elemento do grupo foi escolhido pelos demais. Dessa forma, as escolhas feitas são lidas horizontalmente, enquanto as escolhas recebidas são lidas verticalmente. Traça-se uma linha diagonal, uma vez que um membro do grupo não escolhe a si mesmo (ver quadro no próximo item).

Consideremos um grupo constituído por sete elementos (n = 7) em que são possíveis seis escolhas. Anota-se na sociomatriz a escolha feita por A em relação a B, C, D, E, F e G. Adota-se o mesmo procedimento com todos os membros do grupo. O número sociométrico que constará da sociomatriz corresponde à intensidade com que foi feita a escolha e é anotado com a cor correspondente ao sinal. Convencionou-se aqui o uso da cor azul para o sinal positivo, da vermelha para o negativo e da verde para o indiferente ou neutro[2].

Assim, se A escolhe B em primeiro lugar positivo no teste objetivo, na linha horizontal onde aparecem as escolhas de A, colocamos na coluna de B o valor de 6 (7-1) em azul (ou +6).

A maneira como C escolhe B (terceira escolha negativa, por exemplo) consta no quadro na linha das escolhas de C (horizontal) e na coluna de B. O valor numérico ponderado para a terceira escolha é de 7-3 = 4 em vermelho, porque a escolha é negativa (ou simplesmente -4).

Se D opta por B como sua segunda escolha indiferente, B aparece no quadro com o valor ponderado de 5 (7-2) em verde (ou -5), na linha horizontal de D e na coluna de B.

Procede-se assim com todas as escolhas feitas.

Depois de totalmente preenchida a tabela, é registrada a soma dos totais positivos, negativos e neutros de cada elemento, o que indica a natureza dos afetos que cada um mobiliza nos demais componentes do grupo. Observa-se a confluência de cada linha horizontal com cada coluna, obtendo uma clara visualização das mutualidades e incongruências (ver quadro a seguir).

O processo empregado para determinar como está ocorrendo cada vínculo (mutualidade ou incongruência) consiste, então, em proceder à leitura da sociomatriz nos sentidos horizontal e vertical, comparando as escolhas feitas com as recebidas. O total das mutualidades e incongruências obtidas por cada participante é registrado

---

2. Moreno (1972) utilizava a cor vermelha para as escolhas positivas e a preta para as negativas: "Na mitologia grega, Eros é o deus do amor, e Eris, o deus da discórdia. Conhecemos menos Anteros, irmão de Eros e deus do amor compartilhado. Dessa forma, os gregos representavam as forças de atração e repulsão que se manifestam entre os homens. Também o formoso símbolo da flecha que fere o eleito quando se declara o amor tem sua origem na poesia grega. Nós escolhemos para representar a força de atração um símbolo equivalente: 'uma linha vermelha'. Os gregos pretendiam que todos os traços vermelhos fossem projetados por Eros, todas as linhas negras, por Eris, e que os traços vermelhos recíprocos emanassem de Anteros, sem que os homens fizessem algo nesse sentido... Quanto a nós, procuramos desenredar a complicada rede dos amores e ódios".

na referida tabela. O número total de escolhas, n-1 (no caso 6), é sempre o total da soma de mutualidades e incongruências de cada elemento do grupo. Se isso não ocorrer, é necessário verificar novamente os dados, pois houve uma falha na transcrição destes.

D) SOCIOGRAMA

As escolhas são lidas em conjunto na situação grupal e, de posse dos dados obtidos, procede-se à confecção dos sociogramas: o das mutualidades e o das incongruências. Esses gráficos consistem numa série de círculos concêntricos – tantos quantas forem

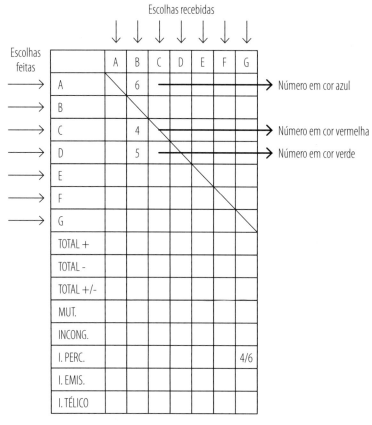

ÍNDICE TÉLICO GRUPAL

as posições sociométricas encontradas – onde, no caso do Sociograma das Mutualidades, se coloca no círculo central o elemento que detém o maior número de mutualidades, independentemente do sinal com o qual foi escolhido. Esse indivíduo é a estrela sociométrica do grupo. No círculo mais periférico será inscrito o detentor do menor número de mutualidades (ou nenhuma mutualidade) e, nos círculos intermediários, situam-se os elementos que obtiveram mutualidades intermediárias nessa rede vincular, respeitando-se a ordem com que elas se estabeleceram. São então traçadas linhas que unem cada dupla onde haja mutualidade. A fim de facilitar a visualização, costuma-se utilizar, para traçar essa linha, a cor correspondente ao sinal.

Da mesma forma é elaborado o Sociograma das Incongruências, que corresponde, em termos gráficos, ao "negativo" do diagrama das mutualidades.

Fica, então, claramente retratada a rede sociométrica dos vínculos grupais (configurações grupais) nesses diagramas das interações, onde a posição de cada elemento adquire sentido apenas a partir da perspectiva da totalidade do grupo, denunciando as necessidades de intervenção na situação grupal e/ou individual.

Por adotar, como já afirmei, o procedimento sugerido por Bustos, utilizo a expressão "configurações grupais" para denominar o que Moreno chamou de "estruturas típicas dos grupos". Transcrevo, a seguir, as estruturas que, segundo Moreno (1972), se apresentam regularmente nos diferentes grupos:

1. Par: quando duas pessoas se elegem mutuamente.
2. Cadeia: quando duas pessoas se elegem mutuamente e uma delas integra um par com uma terceira, que, por sua vez, forma-o com uma quarta e assim por diante, levando a uma corrente ininterrupta de transmissões afetivas.
3. Triângulo: quando três pessoas se elegem mutuamente.
4. Quadrado: quando quatro indivíduos se elegem mutuamente por pelo menos dois entre eles.

5. Círculo: da mesma origem que o quadrado, mas a estrutura encontra-se fechada em si mesma.
6. Estrela: o indivíduo que detém o maior número de mutualidades.
7. Isolamento: pessoa sem mutualidade de escolha.

É oportuno lembrar algumas considerações, tecidas por Bustos, relativas às configurações grupais mais comumente encontradas:

Membro isolado

Para sua manutenção no grupo, é importante que, apesar da ausência de mutualidades, a pessoa seja alvo de um número alto de escolhas positivas (oferta potencialmente positiva) e que tenha uma percepção adequada de sua posição.

No caso de grupos operativos, institucionais, com base no conceito de área de estimulação positiva, diz: "[...] a conduta mais adequada é colocar a pessoa em um lugar onde estão suas primeiras eleições positivas, sempre que o sinal emitido por estas seja neutro ou debilmente negativo. Esta área de um membro isolado chamo-a área potencialmente positiva".

Par

Esse tipo de vínculo pode indicar a existência de um núcleo defensivo, no qual duas pessoas se escolhem sempre e anteriormente ao estabelecimento de qualquer critério.

O rompimento do par pode ser vivenciado como uma ameaça a um dos membros, sobretudo quando se abre em forma de cadeia, denotando a aceitação de um terceiro por parte do outro elemento do par. Quando ambos incluem um terceiro elemento, e se configura um triângulo, a quebra do par é vivenciada pelos seus membros de forma menos traumática, pois, nesse caso, os três membros possuem duas ligações.

Cadeia

Trata-se de uma configuração que dá ao grupo "maior plasticidade e capacidade de estruturar configurações mais maduras" (Bustos, 1979), visto que os elementos que não estão nos extremos da cadeia estão assegurados de possuir dois vínculos em mutualidade no grupo.

Triângulo

É comum a ocorrência de pactos e alianças visando ao controle dos vínculos nessa configuração sociométrica tão defendida e fechada, sobretudo por encontrar-se isolada do restante do grupo. "No entanto, o maior problema se apresenta quando começamos a examinar a estrutura dinâmica 'interna' do triângulo. Os sentimentos negados e projetados sobre o vínculo grupal aparecem como parte dos três entre si. A fidelidade os protegia contra si mesmos" (Bustos, 1979).

Essa é uma configuração sociométrica de difícil abordagem e penetração. Para se lidar com situações triangulares, necessita-se de cautela e habilidade, evitando favorecer "auxílio para o *acting* agressivo, com a finalidade de justificar e reforçar o fechamento do triângulo" (*ibidem*).

Círculo

É considerada a "configuração típica de uma boa coesão grupal", pois a maior possibilidade de trocas e mobilidade nos vínculos prescinde da necessidade de controle direto entre os membros do grupo. O indivíduo que integra essa configuração encontra-se numa "posição sociométrica ótima".

E) ÍNDICES ENCONTRADOS A PARTIR DA ANÁLISE DO TESTE PERCEPTUAL

A posição que os elementos acreditam ocupar no grupo é averiguada na etapa do teste sociométrico perceptual. Tomando o lugar do outro polo do vínculo, cada elemento vai revelar como percebe ser escolhido e por que motivo(s).

A rede de relações vai sendo desvelada, o que implica um esclarecimento (diagnóstico) nas tramas das complementaridades: aspectos télicos, transferenciais, distúrbios de comunicação. Essa investigação dinâmica e atual em movimento e ação leva à compreensão dos vários mecanismos forjados pelo indivíduo e sua rede vincular: produção de sintomas, distorções de mensagens (emitidas e/ou percebidas), atuações, exacerbação de vivências de papéis imaginários, criação e cristalização de mitos, lideranças, isolamento sociométrico.

Bustos (1979) sugere também uma forma gráfica para que se possa visualizar essas questões: traça para cada elemento do grupo um círculo, que é dividido em duas metades: na superior é registrado o perceptual de cada elemento e na inferior, a maneira como cada um foi de fato escolhido no teste objetivo dos demais elementos. Esses semicírculos são divididos em n-1 fatias. Assim, num grupo com sete elementos, temos:

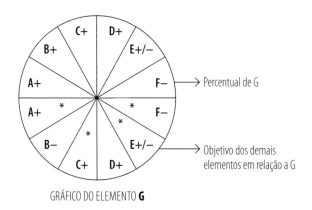

GRÁFICO DO ELEMENTO **G**

No gráfico de cada um dos elementos, respeitando as cores convencionadas para os sinais, são colocados asteriscos na metade inferior sempre que se constatar uma coincidência entre o próprio perceptual e o objetivo alheio.

Encontram-se, então, os seguintes índices:

- *Índice de percepção*: obtido ao se computar o número de asteriscos que cada elemento detém no seu gráfico. Se para "G" foram computadas quatro coincidências em seis possibilidades, temos um índice perceptual.

- *Índice de emissão*: obtido registrando-se quantas vezes cada elemento apresentou um asterisco (foi corretamente percebido, emite com clareza) nos gráficos dos demais elementos. O índice de emissão é igual ao número de vezes que "G" aparece com asterisco/n-1.

- *Índice télico*: obtido pela média aritmética dos índices de emissão e percepção, fatores presentes na tele. "Avalia globalmente a comunicação e nos permite conhecer o grau de adequação do indivíduo em relação a ele mesmo e ao grupo do qual participa" (Bustos, 1979). A fórmula adotada é: I. Perc. + I. Emis./2.

O *grau de coesão de um grupo* é um fator que propicia sua possibilidade de preservação e continuidade quando existe uma predominância dos vínculos télicos sobre os transferenciais. Porém, encontramos, por vezes, grupos aparentemente coesos, cujas ligações baseiam-se em relações altamente transferenciais, patológicas e até patogênicas.

Mais uma vez o teste sociométrico se revela um recurso técnico extremamente útil, na medida em que busca averiguar e esclarecer a qualidade e as características dos vínculos intragrupais.

O *índice télico grupal* é o fio condutor que norteará o destino de um grupo: sua continuidade ou extinção. Para obtê-lo por meio do teste, somam-se os índices télicos de cada elemento e divide-se o resultado pelo número total de escolhas possíveis (n-1).

Depois de calculados, os referidos índices são transportados para a tabela que se encontra neste capítulo.

TÉCNICAS FUNDAMENTAIS DO PSICODRAMA

F) O *SHARING* OU COMPARTILHAR

Como em tantos outros procedimentos e técnicas psicodramáticas, essa etapa é de fundamental importância e necessidade no teste sociométrico. Nesse caso, aquecimento específico, dramatização e *sharing* se superpõem, se confundem: a meta é a própria partilha vivenciada no/pelo grupo desde o aquecimento, passando pelas respostas dos questionários individuais e pela leitura destes em conjunto no grupo, ao registro e análise dos dados, e, ainda, frequentemente, à realização do critério.

Os sentimentos vivenciados ao ter de escolher e ser escolhido, ao confrontar os dados esperados com os obtidos, as ansiedades, surpresas, decepções, confirmações e revelações, as perspectivas e projetos terapêuticos que se vão esboçando carecem de ancoramento na situação vivida conjuntamente pelo grupo.

CONSIDERAÇÕES FINAIS

> Os elétrons têm o mesmo peso e a mesma carga de eletricidade quando estão isolados, mas, se se reúnem para formar um átomo, começam a apresentar diferenças individuais. O mesmo sucede com os homens. Se se reúnem para formar um grupo, aparecem "diferenças" individuais, até então não manifestas.
>
> (Moreno, 1951)

Considero fundamental que sejam levados em conta alguns aspectos para que se possa qualificar um teste como sociométrico:

- todos os elementos do grupo devem sentir-se pessoalmente implicados e comprometidos com o teste para que possam proceder às suas escolhas;
- essas escolhas devem revelar os sentimentos reciprocamente experimentados pelos participantes, bem como as razões e/ou os motivos da escolha;

- escolhe-se por um critério comum e exaustivamente discutido e determinado pelos interesses e necessidades dos elementos;
- o experimentador/sujeito do teste apropria-se da sua real posição no grupo, podendo compreendê-la como função da posição dos outros elementos do grupo;
- o teste deve ser aplicado na íntegra, e seus resultados devem ser discutidos e elaborados no grupo.

O teste sociométrico constitui um requintado instrumento que tem por finalidade desnudar as interações. A partir de sua utilização, torna-se impossível deixar de considerar os dois polos de um vínculo, lembrando que ambos os elementos emitem e recebem mensagens, que produzem o padrão vincular.

O *ser em relação* de que Moreno nos fala produz estímulos e responde a eles, suscita e é suscitado, influencia e é influenciado, determina e é determinado pelos seus pares no desempenho de papéis.

Com base nos dados obtidos pelo teste sociométrico estuda-se a natureza dos vínculos, as possibilidades de distorção ou não das emissões e percepções de mensagens, o nível de situações transferenciais e/ou télicas envolvidas nas relações que configuram o grupo.

Reafirmo que o teste sociométrico não é um mero instrumento de medição da rede vincular de um grupo. Desmanchar esse viés constitui um dever para com o seu autor, que, ao referir-se ao teste, diz: "[...] não é mais que uma primeira manobra estratégica, manobra particularmente útil para penetrar na estrutura profunda dos grupos" (Moreno, 1972).

Os dados numéricos servirão apenas como guia/referência para que um indivíduo possa situar a si mesmo e a seus pares na sua rede de relações.

O material obtido a partir da aplicação do teste sociométrico não se restringe a essa situação ou grupo específicos. Ao contrário, pode ser ampliado, trabalhando-se no próprio grupo com situações de manejo sociodramático (por meio de dramatizações ou jogos sociométricos) ou mesmo dramatizações pessoais, que possibilitarão muitas vezes o acesso a sentimentos e percepções nas diversas interações sociais do indivíduo, antes enclausuradas até pelas tramas na comunicação intra e intersubjetiva.

Quando bem trabalhado, esse material ajudará o indivíduo a se "ressituar", se recolocar, encontrando respostas que o conduzirão a um novo significado das situações vividas e mesmo à busca de uma posição sociométrica mais confortável nas diferentes redes das quais participa.

BIBLIOGRAFIA

ALVES, L. F. R. "O desejo no teste sociométrico". *Revista da Febrap*, v. 5, n. 1, 1982, p. 67-72.

BUSTOS, D. M. O *teste sociométrico*. São Paulo: Brasiliense, 1979.

COSTA, A. M. A. "O teste sociométrico centrado no indivíduo". Dissertação entregue à Sopsp São Paulo, 1981.

HALE, A. E. *Conducting clinical sociometric explorations*. Virgínia: Royal Publishing, 1981.

MORENO, J. L. *Sociometry, experimental method and the science of society*. Nova York: Beacon House, 1951.

_____. *Fundamentos de la sociometría*. 2. ed. Buenos Aires: Paidós, 1972.

MORENO, J. L.; JENNINGS, H. "Sociometric measurements of social configurations based on deviation from change". *Sociometric Monographs*, v. 3, n. 2, 1938.

PARTE III

5. Realização simbólica e realidade suplementar

Maria Luiza Carvalho Soliani

> Nasci em uma casa de dois planos, o de cima, da família, sobre
> tábuas lavadas, claro e sem segredos, e o de baixo, das crianças,
> o porão escuro, onde a vida se tece de nada, de pressentimentos,
> de imaginação, do estofo sombrio dos sonhos.
> (Paulo Mendes Campos, "O cego de Ipanema")

BEM, COMEÇAMOS COM um problema. Se você esperava uma definição clara e simples a respeito da técnica conhecida por "realização simbólica", enganou-se tanto quanto eu quando comecei a pensar e pesquisar a respeito.

Moreno (1974, p. 132) nos dá uma definição no mínimo capaz de suscitar aquelas famosas cem perguntas que uma questão pode levantar. Ouçam: "Neste método o protagonista *transforma sucessos simbólicos em atuação*, utilizando métodos como, por exemplo, solilóquio, duplo, espelho ou inversão de papéis..." E mais nada.

O que você entende por isso? Difícil responder, mas continuemos. Vamos ao encontro de Zerka, que nos diz: "O paciente *representa* o *processo simbólico*, utilizando as técnicas de solilóquio, duplo, inversão de papéis ou espelho, para clarificar os seus processos" (Moreno, 1975, p. 38). Em um artigo intitulado "Regras e técnicas psicodramáticas e métodos adicionais" (Moreno, 1969), ela não fala uma linha sequer a esse respeito.

O que você conclui? Que essa "técnica" não é importante, que ela é pouco usada, que foi usada e abandonada, que foi mal definida, que é usada com outro nome? Ou todas as anteriores?

Experimente perguntar aos seus colegas e/ou professores o que eles pensam a respeito. Às vezes, chega a ser surpreendente a

Técnicas fundamentais do psicodrama

resposta. Anne Ancelin Schützenberger (1970), por exemplo, parece chamar essa técnica de "distância simbólica" e Rojas-Bermúdez (1975, p. 105) nos dá a seguinte explicação: "Consiste na realização de sucessos não reais, que sejam símbolos de outros. Por exemplo, se ao protagonista é impossível enfrentar o chefe e dizer-lhe o que pensa dele, abandona-se a cena e inventa-se outra com personagens diferentes, de conteúdo similar. No psicodrama com crianças, é uma técnica bastante utilizada".

O que estamos chamando de sucessos ou processos simbólicos? O que é real e não real? Onde vamos buscar essas respostas?

Vou lhe dar um conselho: não adianta ir atrás de Lacan ou dos linguistas, semióticos, porque eles não ajudarão muito, pelo menos por enquanto. Experiência própria.

Tentemos, então, ficar a sós com Moreno e ver por onde ele nos leva. Vamos dar uma olhada na sua concepção do universo da criança, um universo dividido em dois: o primeiro universo, o da matriz de identidade, "no qual todas as coisas são reais", e o segundo universo, onde as coisas "começam a diferenciar-se em fantasia e realidade", onde "se desenvolve rapidamente a concepção de imagens e começa a tomar forma a distinção entre coisas reais e coisas imaginadas" (Moreno, 1972, p. 105).

Então, as coisas imaginadas pertencem ao mundo da fantasia e as coisas reais, ao mundo da realidade? Mas não podemos imaginar coisas reais e realizar coisas imaginadas? Continuemos tentando.

Teremos de dar uma olhada nos três tipos de papel dos quais Moreno fala: os psicossomáticos, os sociais e os psicodramáticos. O primeiro universo é o reino dos papéis psicossomáticos, ligados às funções vitais (por exemplo, alimentação), em que há a fusão da fantasia com a realidade. Ao começar a se estabelecer a divisão entre a fantasia e a realidade, vão surgindo e se separando, gradualmente, os papéis psicodramáticos e os sociais, na medida em que a criança começa a representar "papéis que a relacionam com pessoas, coisas e metas no ambiente real, exterior a ela" (papéis sociais) "e a pessoas, coisas e metas que ela imagina que são exteriores" (papéis psicodramáticos) (Moreno, 1972, p. 116). "Os papéis de mãe, filho, filha, professor etc. são denominados papéis sociais e separados das personificações de coisas imaginadas, tanto reais como irreais. A estes se chama de papéis psicodramáticos" (*ibidem*, p. 115). Surgiram no universo o mundo social e o mundo da fantasia. Agora, já temos ideia do que Moreno chama de real e de fantasia e o que para ele é um papel social e um papel psicodramático.

Resumindo, poderíamos dizer que um papel psicodramático é o papel que relaciona uma pessoa com pessoas, coisas e metas imaginadas, tanto reais como irreais, e que vão constituir seu mundo de fantasia. Freud nos diz em *Além do princípio do prazer* que se os adultos não brincam como quando eram crianças é porque a fantasia substitui para eles a atividade lúdica infantil. Parece que Freud afirma, portanto, que a fantasia adulta e o jogo infantil têm função semelhante. A fantasia para Moreno se realiza por meio dos papéis psicodramáticos, que são papéis imaginados reais ou não. A realidade se expressa pelos papéis sociais, que são desempenhados no meio ambiente real. E a fantasia e a realidade, desde que se estabelece essa separação, vão estar sempre em luta (*ibidem*).

Será que podemos concluir que dentro do psicodrama *sempre* se trabalha com os papéis psicodramáticos e *sempre* se trabalha em relação com pessoas, coisas ou metas imaginadas, reais ou não? (Tantas voltas para se concluir o óbvio, não?)

E lá vamos nós mais uma vez para Moreno (1984, p. 209), quando ele se refere a *palco psicodramático:* "A realidade e a fantasia não estão em conflito, sendo ambas as funções pertinentes a uma esfera mais ampla, o mundo psicodramático de pessoas, objetos e eventos... Delírios e alucinações passam por uma encarnação – a corporificação no palco – e adquirem uma igualdade de *status* com as percepções sensoriais normais".

O que ele está nos dizendo é que há um lugar criado artificialmente onde não há um conflito entre o real e a fantasia porque

TÉCNICAS FUNDAMENTAIS DO PSICODRAMA

nele tanto um como outra são funções de um mundo mais amplo que é o mundo psicodramático. E o que são funções? Correndo para o dicionário *Caldas Aulete,* encontro o seguinte:

1. Dependência em que se acha uma quantidade cujo valor é determinado pelo que pode dar à outra.
2. Tendência de um corpo para reagir em determinado sentido quando em contato com outro.

Logo, o valor que têm a realidade e a fantasia no psicodrama depende da quantidade de realidade que pode ser dada à fantasia e da quantidade de fantasia que pode ser emprestada à realidade, no palco psicodramático.

E, também, do fato de a realidade e a fantasia, quando em contato, terem a tendência a reagir em direção ao mundo psico-dramático, mundo este que não é só o palco do psicodrama, mas que poderá ser:

1. o mundo lúdico da criança;
2. o mundo da fantasia do adulto;
3. o mundo das alucinações e dos delírios do psicótico;
4. o mundo do psicodrama moreniano.

Nas crianças, fantasia e realidade se misturam e se exteriorizam no mundo da realidade por meio dos jogos, que são aceitos pelo grupo social e levam a um conhecimento e posse gradual desse mundo e dos papéis sociais aí desempenhados: os papéis psicodra-máticos, realizados nesses jogos, são fonte de grande prazer.

Nos adultos, fantasia e realidade estão separados. As fantasias são íntimas, a maior parte delas não se exterioriza, são realizadas como que num psicodrama interno, por meio de papéis e cenas que acontecem interiormente. Externamente, aparecem na produção de obras teatrais, literárias, e aí são aceitas socialmente. As fantasias aqui também são utilizadas para o prazer, inclusive o estético.

Nos psicóticos, fantasia e realidade estão outra vez misturadas. As fantasias não são aceitas socialmente, exteriorizando-se por papéis psicodramáticos nos delírios e alucinações, papéis psicodramáticos que poderíamos chamar de papéis alucinados. Talvez sejam tentativas de compreensão e domínio de papéis sociais não realizados e mal desempenhados. Será que trazem algum tipo de prazer?

No psicodrama, fantasia e realidade estão misturadas em proporções diversas, dependendo do momento. As fantasias são aceitas pelo grupo, exteriorizam-se com papéis psicodramáticos realizados no palco (lugar específico) e levam a um estado semelhante ao das crianças antes e durante a passagem do primeiro para o segundo universo infantil. No psicodrama existe a possibilidade de retomar essa situação de passagem do primeiro para o segundo universo infantil, num mundo artificialmente construído (o mundo do psicodrama), em busca de uma nova separação da realidade da fantasia, de uma harmonia entre esses dois mundos, de redescobrimento dos papéis sociais mal desenvolvidos, não desenvolvidos, alucinados, dos reais posicionamentos da pessoa no jogo de interação de papéis na família, no grupo, na sociedade. Essa busca se realiza pela *corporificação no palco* dos papéis psicodramáticos, porque esse palco oferece um *status* igual para a realidade e a fantasia – *status* este que só existe no primeiro universo infantil. Essa volta ao primeiro universo possibilitaria pela segunda vez a realização da separação que se dá no segundo universo entre a realidade e a fantasia, por meio da realização dos papéis psicodramáticos no palco.

Então, *realizar psicodramaticamente* é encarnar no palco, no entrecurso do mundo da fantasia com o da realidade, no mundo do psicodrama, qualquer papel que possa ser imaginado, real ou não. Real no sentido de papéis que se desempenham na vida cotidiana, que Moreno chama de *realidade vital* e não real, no sentido de papéis que não se desempenham por falta de possibilidade, por desconhecimento, por serem papéis de seres fantásticos,

TÉCNICAS FUNDAMENTAIS DO PSICODRAMA

mitológicos, de seres inanimados, divinos, alucinados, de sonhos, de desejos, de fantasias escondidas e sufocadas, enfim, papéis de uma realidade que Moreno chama de *realidade suplementar* (*surplus reality*).

Realizar é o ato de tornar real, de produzir realidade. Moreno distingue três tipos de realidade (Weil, 1978, p. 114-15):

1. a infrarrealidade, do divã psicanalítico;
2. a realidade vital, vivida na família, no trabalho;
3. a realidade suplementar, que é o conjunto das dimensões invisíveis da realidade, da vida intra e extrapsíquica.

"Pode-se bem dizer que o psicodrama enriquece o paciente com uma *experiência nova e alargada da realidade*, uma 'realidade suplementar' pluridimensional, um ganho que ressarce, pelo menos em parte, o sacrifício que ele teve de fazer durante o trabalho de produção psicodramática" (Moreno, 1974, p. 113).

"Ele (o protagonista) interioriza seu pai, sua mãe, sua amante, seu delírio e suas alucinações, e a energia que aí havia invertido morbidamente lhe é devolvida quando ele pode 'viver' realmente o papel de seu pai, seu amigo ou inimigo" (*ibidem*, p. 112).

Segundo Eugênio Garrido Martin (1978, p. 92), Moreno (1972, p. 76) dá três razões para esse *plus* de realidade do psicodrama:

1. O cenário é uma ampliação da vida, pois ameniza os limites impostos pela realidade: "O objetivo dessas diversas técnicas não consiste em transformar os pacientes em atores, mas em estimulá-los a ser, em cena, o que eles são, mais profundamente e mais explicitamente do que se mostram na vida real".
2. Nossas ilusões são reais e frequentemente nos defrontamos com pacientes que apresentam uma luta entre fantasia e realidade, entre o que são e o que sonham ser: "O espaço cênico oferece à vida possibilidade que o original real da própria vida não possui. A realidade e a fantasia aqui já não estão em

conflito; uma e outra participam de uma cena mais ampla; o mundo psicodramático dos objetos, pessoas e dos acontecimentos" (*ibidem*, p. 75).

3. O psicodrama oferece a oportunidade de aumentar a vivência real para quem a tem diminuída e oferece a realidade a quem dela necessita, como os esquizofrênicos (ler "Psicodrama de Adolf Hitler").

Depois de todos esses volteios, podemos afirmar que a realidade com que o psicodrama trabalha é a *realidade suplementar*, a *surplus reality*, este "a mais" de realidade que para o protagonista ou para o grupo é invisível até que ela apareça atrás da inversão de papéis com o marido, o filho, o patrão. É este *plus* de realidade que se permite quando se representam os personagens da alucinação ou delírio, essa superabundância de realidade quando se representam deus, o diabo, os contos de fada, os mitos, sonhos, desejos recônditos, essa abertura para uma realidade até então desconhecida e invisível.

Determinadas técnicas, pode-se dizer, facilitam o aparecimento dessa realidade suplementar.

Entre as técnicas principais, Moreno considera a inversão de papéis a mais importante. O *role-playing* também é considerado produtor dessa realidade a mais, no sentido de que permite treinar uma função de modo mais efetivo que no exercício da função social real (papel social).

Outras técnicas, como o Psicodrama dos Sonhos (onirodrama), Jogo de Deus, Projeção para o Futuro, a Loja Mágica ou dos Sonhos (uma loja especial, criada pelo protagonista, onde se compram e se vendem emoções, sentimentos e desejos na base de troca; leva-se o que se quer e deixam-se em troca outras emoções, sentimentos ou desejos de que se possa ou se necessite desfazer), e até a comunidade terapêutica, são citadas por Moreno (1975) como técnicas em que se trabalha com a realidade suplementar.

Enfim, todas as técnicas psicodramáticas nos conduzem a essa possibilidade existencial de viver a *realidade suplementar*, que é a *realidade do psicodrama, a realidade da representação psicodramática*. Concluímos, espero, que a realidade suplementar não é uma técnica, mas a realidade com a qual se trabalha todo o tempo em que se dramatiza. Com alguns esquemas talvez consigamos resumir o que vimos até aqui:

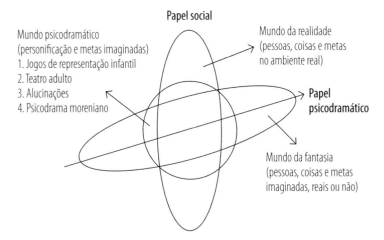

Se tomarmos o diagrama de papéis de Moreno (1972, p. 120), em que ele nos diz que os domínios dos papéis psicodramáticos são muito mais extensos do que o dos sociais, podemos sobrepô-lo a um outro, em que a realidade vital corresponde ao círculo dos papéis sociais e a realidade suplementar, ao mundo dos papéis psicodramáticos, que é muito maior do que o dos papéis sociais.

Essa conclusão é reforçada quando leio Moreno relatando o caso do "Psicodrama de Adolf Hitler" (1967, p. 219-20), em que Karl (o paciente), que diz ser Hitler, volta a ser Karl e Moreno diz: "Não se trata de um 'retorno à realidade', mas sim da transferência de uma realidade (psicodramática) para outra (social) que é capaz de manipular". Agora me dou conta de que escapei da questão do simbólico pelo viés da realidade/realização e não há mais como fugir dele. Então, vamos lá.

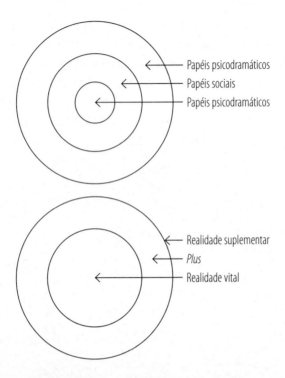

Não encontrei nenhum texto moreniano em que ele diga o que considera um símbolo sem o que chama de processo simbólico.

Em *Psicoterapia de grupo e psicodrama* (1974), ele diz o seguinte sobre *simbolismo:* "O método psicodramático abre uma nova região à investigação do simbolismo inconsciente. Ilumina os símbolos de ação. O comportamento simbólico pode ser mais bem estudado mediante os métodos de ação e representação que mediante os métodos verbais. Os pacientes imitam gatos, cachorros, camelos, cavalos".

Logo, para ele há um comportamento que é *simbólico e inconsciente*, e que a ação vai desvendar.

No mesmo capítulo, sobre análise dos sonhos, diz: "O grau de interação depende da intensidade de ligação entre palavra, símbolo, comportamento e atuação" (*ibidem*, p. 128-29).

Quando discorre sobre as três fases de uma sessão, na fase de *representação propriamente dita*, afirma:

TÉCNICAS FUNDAMENTAIS DO PSICODRAMA

Para satisfação do paciente, outras pessoas que lhe são próximas (sua mãe, sua esposa ou a personalização de suas ilusões e alucinações) entram em cena através dos papéis psicodramáticos desempenhados pelos egos auxiliares. Eles personalizam *símbolos* e figuras de seu mundo particular. Enquanto o paciente participa da representação e se aquece para essas *figuras* e *símbolos*, atinge uma enorme satisfação, maior do que jamais experimentou. (*Ibidem*, p. 112)

Podemos afirmar, portanto, que os papéis psicodramáticos desempenhados durante a representação são símbolos do mundo do paciente, símbolos inconscientes, e que estão ligados à palavra, ao comportamento e à atuação.

No "Psicodrama de Adolf Hitler" (1972, p. 219-20), leremos:

A íntima conexão entre as técnicas psicodramáticas e sociodramáticas estava claramente visível porque o "papel psicótico" que "Karl" havia escolhido para encarnar "Hitler" era um poderoso acontecimento social de nossa época, cheio de *símbolos coletivos* como a "mãe", "Cristo", "super-homem", "demônio", "poder", "morte", "suicídio", "imortalidade", "judeu", "negro", "escravo", "comunismo", democracia" etc., símbolos que, naquele tempo em que foi encenado o "Psicodrama de Adolf Hitler", estavam carregados de *fortes emoções*, emanadas de todos os membros do grupo. Para cada *símbolo particular* do "Psicodrama de Adolf Hitler" houve um *símbolo coletivo* correspondente ao redor de Hitler.

Podemos afirmar que há símbolos coletivos e símbolos particulares que em determinados momentos estão carregados de fortes emoções e podem se sobrepor.

Mas uma criança não nasce simbolizando, e, sim, dentro de um universo cheio de símbolos coletivos, partilhados pelo grupo a que pertence. Para Moreno, o simbólico aparece quando se imitam cachorros, gatos, quando se representa dramaticamente um papel em jogo com um contrapapel, seja ele qual for (mãe-filho, patrão-empregado), quando se dramatiza uma alucinação, delírio ou sonho. Pode aparecer também quando se dramatiza um sintoma ou uma sensação.

Todo papel dever ser, portanto, portador de um símbolo, consciente ou inconscientemente, coletivo ou privado, que se transmite intencionalmente ou não.

Mas o que é símbolo? Não acharemos a definição em Moreno. Teremos de procurá-la em outro lugar. Símbolo é uma forma de comunicação, e quanto a isso todos estamos de acordo, mas esse é um terreno perigoso, cheio de acidentes e atalhos povoado por linguistas, estruturalistas, lacanianos, semióticos e outros. Às vezes usam-se símbolo e signo com o mesmo sentido. Algumas vezes encontra-se uma distinção mais clara entre os dois. Outras, usa-se signo para indicar de modo genérico aquilo que comunica algo. De vez em quando usa-se símbolo com o sentido de sinal.

Resolvi recorrer à *Enciclopédia Britânica* e tentar ter uma visão panorâmica do assunto. Resumindo, podemos dizer que há dois tipos de comunicação, uma *vocal* e outra *não vocal*. A comunicação *não vocal* é feita por: 1) signos; 2) sinais; 3) símbolos; 4) ícones; 5) *cinesias*; 6) *proxêmias*.

A comunicação vocal se faz por: 1) paralinguagem; 2) linguagem falada.

Bem rapidamente poderíamos dizer que:

Signos são interrupções em determinado campo de constante energia transferida, campo natural ou construído pelo homem. Por exemplo: sinais de fumaça, sinais de telégrafo.

Sinais são frequentemente pinturas ou desenhos que comunicam algo simples, como um sinal de trânsito. Têm uma denotação concreta com um significado inerente.

Ícones, segundo Umberto Eco (*apud* Hello, 1975, p. 28), são ingenuamente pensados como tendo relação de semelhança com um objeto a que se referem. São, na verdade, grupos de símbolos interativos relatados ou não relatados, como, por exemplo, a Casa Branca, em Washington.

Técnicas fundamentais do psicodrama

Cinesia é a linguagem dos gestos, do corpo.

Proxêmias são os modos pelos quais as pessoas em várias culturas utilizam o tempo e o espaço, a proximidade e a distância, a posição corporal, o odor, o calor, para propósitos de comunicação.

Paralinguagem são grunhidos, resmungos, risos, choros, entonações, inflexões de voz, acentos, sussurros, hesitações, soluços e bocejos. Nenhum som emitido entre uma palavra e outra deixa de ser significativo.

Linguagem falada são as palavras faladas e escritas. Hoje se reconhece que elas e os números constituem verdadeiras metáforas simbólicas. Sinais, signos, símbolos e possivelmente ícones podem facilmente ser verbalizados.

Existem muitas especulações sobre a origem da linguagem. Poderia existir um instinto de falar, talvez a linguagem fosse uma invenção como resultado da necessidade de comunicação, talvez imitação de sons da natureza, talvez vocalização de atividades físicas pelo prazer. Hipóteses, mas não há nenhuma prova.

Mas, voltando aos *símbolos*. O que são? Podem ser definidos como qualquer invento com o qual uma abstração pode ser feita, mas não são uma construção precisa. Estão intrinsecamente trançados dentro das percepções do mundo de um indivíduo. Eles contêm uma obscura capacidade de entendimento que define a verdadeira realidade daquele mundo. Símbolos são maneiras sutis de comunicação que contêm informações difíceis, perigosas ou mesmo inconvenientes de serem comunicadas pela linguagem convencional. São verdadeiros esquemas, não se constituindo numa linguagem por si mesmos.

Para o filósofo inglês Alfred North Whitehead, símbolos são analogias ou metáforas (que incluem a linguagem falada, escrita ou objetos visuais) esperando por alguma qualidade de realidade que é engrandecida em importância pelo processo de simbolização.

CONSIDERAÇÕES FINAIS

Como se dá esse processo?

Como já dissemos, uma criança não nasce simbolizando, mas mergulhada num mundo de símbolos coletivos e familiares. Ela é afetada por símbolos que não decodifica. Pode ela própria se constituir num símbolo sem sabê-lo. Esses modelos de comunicação sutil circulam por ela num fluxo contínuo e, às vezes, se cristalizam em conservas culturais, como contos de fada, mitos, histórias infantis, canções. Outros se movimentam livremente.

Provavelmente, será durante a passagem do primeiro universo infantil para o segundo, pela personificação de papéis psicodramáticos que já estarão impregnados pelos símbolos, que a criança começará, aos poucos, a dominá-los e, posteriormente, a criá-los.

Como toda dramatização encerra uma tentativa de retorno à passagem do primeiro para o segundo universo, na busca do *status nascendi* de um papel social desempenhado de determinada forma, por meio de um papel psicodramático, poder-se-á também aí aprender o processo de simbolização em *status nascendi*.

Poderemos dizer que em toda dramatização trabalharemos com os processos de simbolização? E que representaremos o processo simbólico para clarificar esses processos (como diz Zerka quando define realização simbólica), utilizando as mais variadas técnicas?

Certamente podemos fazer isso de modo intencional, quando diretor e protagonista combinam dramatizar um símbolo coletivo ou particular, mas também podemos fazê-lo sem que o percebamos.

Os símbolos e o processo simbólico emergirão na primeira oportunidade, como nos diz Whitehead, pois eles estão sempre à espera de alguma qualidade de realidade para surgir, vir à luz. No psicodrama, nós temos para lhes oferecer um *plus* de realidade, que é a realidade suplementar.

Como no psicodrama há sempre um corpo que se mostra e todo corpo que se mostra é um signo (no sentido genérico), todos os movimentos desse corpo se constituem em significantes (algo que significa), bem como o espaço onde esses movimentos se inscrevem.

Como um signo carregado de emoção pode se transformar num símbolo, será que podemos dizer que toda dramatização quando se realiza o faz simbolicamente?

Depois de tantas circunvoluções, gostaria de poder afirmar, com a tranquilidade que não tenho, que tanto a realidade suplementar quanto a realização simbólica não são simplesmente técnicas e, quando vistas desse modo, ficam reduzidas em sua dimensão verdadeira, sendo, por isso, muito difícil defini-las e descrevê-las como tal.

E você, o que acha?

BIBLIOGRAFIA

Garrido Martín, E. *Psicologia do encontro*. São Paulo: Duas Cidades, 1978.

Hello, A. (org.). *Semiologia da representação: parâmetros da semiologia teatral*. São Paulo: Cultrix, 1975.

Moreno, J. L. "Psicodrama de Adolf Hitler". In: *Las bases de la psicoterapia*. Buenos Aires: Paidós, 1967.

_____. *Fundamentos de la sociometría*. Buenos Aires: Paidós, 1972a.

_____. *Psicodrama*. Buenos Aires: Hormé, 1972b.

_____. *Psicoterapia de grupo e psicodrama*. São Paulo: Mestre Jou, 1974.

_____. "Psychodrama", v. 3. In: *Universalia*. Nova York: Beacon House, 1975.

_____. *Fundamentos do psicodrama*. São Paulo: Summus, 1984.

Moreno, Z. T. "Reglas y técnicas psicodramáticas y métodos adicionales". *Cuadernos de Psicoterapia*, v. IV, n. 2 e 3, 1969.

_____. *Psicodrama de crianças*. Petrópolis: Vozes, 1975.

Rojas-Bermúdez, J. G. *Cuadernos de Psicoterapia*, v. IV, n. 2 e 3, Buenos Aires, 1969.

_____. *Qué es el psicodrama*. Buenos Aires: Genitor, 1975.

Schützenberger, A. A. *O teatro da vida: psicodrama*. São Paulo: Duas Cidades, 1970.

Weil, P. *Psicodrama*. Rio de Janeiro: Cepa, 1978.

6. Projeção para o futuro

Vânia Crelier

Essa técnica é descrita por Moreno em seu livro *Psicoterapia de grupo e psicodrama*. Diz ele (1966, p. 139):

> Nesse método, o paciente mostra como imagina seu futuro. Todo homem sente o impulso de imaginar-se (através de fantasias, sentimentos, esperanças e desejos) em um futuro especial. Na representação dramática do futuro, solicita-se ao paciente que represente não somente seus desejos, mas seus planos realizáveis, especialmente importantes. O levamos a valorizar o que realmente poderá ocorrer em seu futuro. Neste momento ele é o profeta de si próprio, o artífice do seu destino.

Moreno fala ainda da dificuldade do homem de projetar seu futuro à medida que envelhece, ao passo que na juventude essas fantasias se dão com a máxima força. Ele nos mostra como o homem se aprisiona na conserva cultural, no medo de mudanças. Fazer projeções para o futuro é continuar fantasiando e acreditando na possibilidade de realizar os sonhos.

Nas vezes em que trabalhei com esse jogo dramático, seja como paciente ou terapeuta, o que observei foi uma reflexão sobre o presente e um compromisso com a mudança em que o indivíduo assume seu papel de fazedor do próprio destino.

O jogo pode começar com técnicas de relaxamento e respiração, visando criar um clima descontraído que possibilite a espontaneidade e a criatividade. Depois, pode-se sugerir ao grupo que se encontre e converse sobre sua vida atual. O grupo pode escolher o local de encontro real (a sala de terapia) ou imaginar outro lugar onde irá se desenrolar a primeira cena.

É importante deixar que essa primeira cena se desenvolva espontaneamente como um aquecimento para as próximas. Lembramos que o terapeuta deve interromper o menos possível, para evitar que as pessoas se desaqueçam. Deixamos a cena se desenvolver, fazendo marcações quando necessário, criando situações a serem vividas, e então sugerimos um próximo encontro – por exemplo, no ano seguinte (no "como se").

Nova cena se desenrola. Deixamos que flua espontaneamente e, se necessário, usamos técnicas tais como o solilóquio, o duplo e outras, caso o grupo tenha dificuldade de entrar emocionalmente na situação fantasiada. Sugerimos novos encontros no futuro (dois anos, cinco anos depois).

Novo encontro (por exemplo, após dez anos). Em cada situação as pessoas vão contando como estão, que mudanças ocorreram em sua vida e como se sentem. Novo encontro num futuro ainda mais distante (vinte ou trinta anos, ou até mais).

Finalmente, o terapeuta pode conduzir o grupo até um futuro em que se enfrenta a morte de cada um.

Em uma das últimas cenas pode-se fazer um encontro entre "eu do futuro" e "eu do presente". Aquele manda a este uma mensagem que julgue importante, orientando-o e dando diretivas para o momento presente. Trocam-se os papéis: o "eu do presente", ouvindo a mensagem, diz o que sente, o que pensa, faz reflexões, realiza um balanço das possibilidades e compromete-se a cumprir os planos que fez durante o jogo. Quando o futuro projetado é negro e sombrio – prenunciando mortes, doenças graves, acidentes –, o nível de angústia é grande, e cabe ao terapeuta trabalhar essa situação com muito bom senso, trazendo a fantasia projetada para o momento presente, cuidando dos conflitos subjacentes no aqui e agora. Faz-se a pergunta: "O que preocupa o paciente hoje?"

Considero que muitas vezes nossos pensamentos (positivos ou negativos) podem forjar nosso futuro. Assim, quando o futuro projetado é ruim, comprometo o paciente com uma mudança atual, diminuindo seu nível de angústia, dando-lhe uma esperança de vida, ajudando-o a construir um projeto existencial significativo. Não podemos esquecer Moreno, para quem a alegria tem de fazer parte do cotidiano do homem.

Algumas vezes, o grupo, para evitar conflitos e fantasias assustadoras, entra num clima maníaco, de negação das possibilidades, de negação de seus medos. Cabe ao terapeuta, nesse momento, lidar com a situação, fazendo que as pessoas se voltem para si mesmas, para dentro, tomando contato com suas emoções ao invés de negá-las. Mas não basta. É preciso procurar a razão desse comportamento, fazer a catarse, dirimir os conflitos e proporcionar o resgate da parte saudável. As psicoterapias têm por fim buscar sempre a saúde. Ao final, faz-se o processamento do jogo e levantam-se os pontos mais importantes para ser discutidos, não sem antes permitir o compartilhar, que é o momento mais profundo em termos de terapia grupal.

Exemplo de um jogo desse tipo: um grupo de supervisionados traz para trabalharmos as angústias no desenvolvimento do papel profissional. A supervisora sugeriu, então, o jogo Projeção para o Futuro.

A primeira cena se passa na sala de aula, onde discutem seu papel profissional, como se sentem, o que pensam do seu momento. A diretora sugeriu um encontro no ano seguinte. As angústias eram praticamente as mesmas. Propôs, então, um encontro pós-formatura.

O grupo se encontra e os participantes contam seus planos, suas realizações e desilusões. Uma das participantes estava entusiasmada, pois conseguira como médica clínica trabalhar de uma forma muito aberta com o psicodrama. Outro havia mudado de cidade (um velho sonho) e estava se sentindo bem e com bastante sucesso na nova vida. Outra integrante conseguira introduzir um modo todo seu de trabalhar com psicodrama e outro tinha ido fazer um curso no exterior.

Traziam, no entanto, desilusões com a instituição, que havia sofrido menos mudanças do que gostariam, e contavam também modificações na vida afetiva (separações, casamentos, nascimento dos filhos, resoluções de conflitos afetivos).

Tendo o jogo sido realizado nos anos 1990, perto da virada do século, a diretora introduziu a possibilidade de um encontro na passagem para o ano 2000. O grupo não conseguia encontrar-se nessa data, pois cada um tinha uma visão particular de como passar a virada do século. Começaram a introduzir a magia, aparelhos eletrônicos formidáveis para realizar a tarefa. Alguns apenas contaram suas mudanças por telefone.

No encontro de dez anos depois, em 2010, revelava-se um mundo novo, totalmente transformado (o novo século realmente era fator de grandes mudanças). O clima era maníaco, com as mudanças se processando vertiginosamente, o que nos fazia pensar que a virada do século promovia um alto nível de angústia e uma necessidade premente de assumir grandes transformações. Finalmente, o grupo foi levado a trinta anos depois (2040) e pedimos ao "eu do futuro" para mandar uma mensagem ao "eu do presente" depois de ter ouvido suas dúvidas, suas angústias e seus planos.

O clima maníaco havia passado e o grupo encontrava-se calmo e reflexivo. Cada um podia dizer a si próprio no presente aquilo que achava importante. Trocaram-se os papéis, e o "eu do presente" ouviu e respondeu, com a possibilidade, se quisesse, de mandar uma mensagem ou fazer uma pergunta ao "eu do futuro" e este responder-lhe. Passou-se ao *sharing*. O grupo demonstrou a satisfação com o trabalho feito e muitas reflexões foram levantadas. Encerrou-se o processamento do jogo dramático.

Esse jogo também pode ser usado para se trabalhar alta de terapia, alta hospitalar, verificando como estão os pacientes, quais são seus projetos para o futuro, como lidam com suas ansiedades referentes à alta, como enfrentam de novo o cotidiano, a vida lá fora, como ficam as suas fantasias sobre suas relações com a família, os amigos, o retorno ao trabalho ou à escola.

Também se pode usá-lo no treinamento de situações a ser enfrentadas: pacientes com doenças graves, em preparação para a cirurgia, radioterapia. Trabalhar essa situação no jogo age como um *role-playing*, onde se podem viver angústias, fantasias sem negá-las, preparando-se para o enfrentamento de situações difíceis. Pode ser usado também para preparar viagens, casamentos, mudanças e outras situações a ser enfrentadas, isto é, para trabalhar projetos de vida que contenham prazer e esperança. É um jogo interessante que fica na memória por longo tempo. Talvez para sempre!

No IV Encontro Internacional de Psicodrama, em São Paulo, em fevereiro de 1991, Regina Fourneaut Monteiro e eu realizamos uma projeção para o futuro com um sociodrama temático: "Rumo à mudança do século. 2001, faltam dez anos!" No trabalho, que se mostrou bastante interessante, apresentamos as mudanças dos dez últimos anos e a virada do século como situações para o grupo trabalhar. Foi muito rico o material trazido pelo grupo, com muita maturidade e felicidade.

Num jogo semelhante existe a possibilidade de, em vez de se trabalhar com a projeção para o futuro, fazê-lo com a regressão ao passado – por exemplo, as pessoas se verem hoje e se descreverem. Em seguida, ir para o passado progressivamente, há dois, cinco, dez ou quinze anos, até voltar à infância e imaginar-se brincando com seu brinquedo preferido e descrever-se nessa cena. Com que roupa está? Com que cabelo? Depois, olhar-se no espelho e ver-se. Posteriormente, como adulto, ir até essa criança, olhá-la e conversar com ela. O que você diz a essa criança? O que faz com ela? Ocorre um diálogo entre o eu adulto e o eu criança. A partir daí, podemos inclusive tirar um protagonista e trabalhar mais profundamente a cena escolhida. O importante nesses jogos é fazer cada cena ser vivida com intensidade, emoção e ritmo necessários, reparando os traumas, restituindo a espontaneidade, restabelecendo a harmonia dos papéis.

Uma variação para trabalhar com a projeção do futuro é escolher uma certa idade. Pode-se levar, por exemplo, as pessoas a viver suas fantasias sobre seus 50 anos, uma nova etapa de vida. Um exemplo desse jogo foi a vivência "Los 40", realizada no VII Congresso Brasileiro de Psicodrama.

CONSIDERAÇÕES FINAIS

Moreno nos conta que, além de criar seus jogos, era também recolhedor de jogos já existentes em livros antigos, como contos de fadas, fábulas e dramas. De Shakespeare, em *Hamlet*, tira a técnica do espelho. No livro *Duplo*, de Dostoiévski, descobre a técnica do duplo. Na obra de Calderón *A vida é sonho*, a técnica dos sonhos, e a inversão de papéis nos *Diálogos* socráticos. Recolheu-as e adaptou-as aos objetivos terapêuticos. Articulou--as ao desenvolvimento da matriz de identidade.

Moreno nos diz também que os verdadeiros inventores não são os poetas nem os terapeutas; são os enfermos mentais de todos os tempos. Eu diria mais: que a grande inventora, na verdade, é a vida que imita a arte enquanto esta imita a vida, e nos dá a possibilidade de, pela criação, receber a centelha divina que nos faz transcender e despertar o deus adormecido. Saber a palavra certa para o momento certo, a ação adequada para o momento adequado. Olhar com olhos capazes de ver além da superfície e transformar a vida em um projeto que possa ser vivido, apesar das dores e dos obstáculos, com esperança e coragem.

BIBLIOGRAFIA

MONTEIRO, R. F. *Jogos dramáticos*. 8. ed. São Paulo: Ágora, 1994.

MORENO, J. L. *Psicodrama*. Buenos Aires: Hormé/Paidós, 1961.

_____. *Psicoterapia de grupo y psicodrama*. Cidade do México: Fondo de Cultura Económica, 1966.

_____. *Las palabras del padre*. Buenos Aires: Vancu, 1971.

MORENO, Z. T. *Psicodrama de crianças*. Petrópolis: Vozes, 1975.

SCHÜTZENBERGER, A. A. *Introducción al psicodrama*. Madri: Aguilar, 1970.

7. Onirodrama

José Roberto Wolff

ORIGEM HISTÓRICA

O trabalho de Jacob Levy Moreno com os sonhos começou ainda em Viena, nas apresentações do Teatro Terapêutico, por volta de 1923. Entretanto, a primeira referência ao tema encontramos nas palavras dirigidas por Moreno a Freud em 1912: "O senhor analisa os sonhos das pessoas, eu procuro dar-lhes coragem para que sonhem de novo". É aqui nessa ideia do "sonhem de novo" que se encontra o embrião da dramatização do sonho, que é, segundo Moreno, o "revivê-lo na ação dramática".

Na fase americana, já em sua clínica em Beacon (Nova York), o onirodrama aparece com certa frequência no psicodrama dos psicóticos, em que Moreno afirmava ser o onirodrama um meio eficiente para abreviar e acelerar a psicoterapia de esquizofrênicos. No livro *Psicoterapia de grupo e psicodrama*, na parte dedicada a seus protocolos clínicos, Moreno descreve o "Psicodrama de um sonho", realizado em Beacon no verão de 1941. É uma descrição do onirodrama de um sonho do tímido professor Martin Stone e que vale a pena ser lido para conhecermos o trabalho de Moreno. Chamava de técnica psicodramática para a representação dos sonhos, ou técnica dos sonhos, ou ainda método dos sonhos. Num artigo intitulado *"Psychodramatic production techniques"*, publicado em 1952, Moreno incluiu o onirodrama entre as principais técnicas do psicodrama, ao lado das chamadas técnicas básicas.

Zerka Moreno também deu ao onirodrama ênfase especial, tanto nos seus escritos como na sua prática psicodramática, utilizando-o muitas vezes com crianças e adolescentes. No livro *Psicodrama de crianças*, Zerka descreve a técnica dos sonhos (*dream technique*) com um exemplo prático e comenta também o readestramento do sonho (*retraining of the dream*), que corresponde ao que J. L. chamou de "efeito pós-psicodramático no sonho", ressaltando que a interpretação está no próprio sonho, ao contrário de outros métodos, em que o sonho é interpretado e analisado pelo terapeuta. Por duas vezes, em 1977 e 1978, Zerka Moreno esteve conosco em São Paulo e tivemos a oportunidade de vê-la trabalhando com o onirodrama.

CONCEITUAÇÃO E FASES

Etimologicamente, em sua origem grega, *oneiros* significa "sonho" e *drama* significa "ação". É, portanto, o "sonho em ação", e assim fica caracterizado o onirodrama como a possibilidade de *"reviver o sonho na ação dramática"*.

Moreno descreve a técnica do onirodrama da seguinte maneira: "Em vez de relatar o sonho, o paciente representa-o. Deita-se na cama e aproxima-se cada vez mais da condição de adormecer. Quando se sente capaz de reconstruir o sonho, levanta-se da cama e representa o sonho em ação, utilizando para isso vários egos auxiliares, que desempenham papéis dos caracteres e objetos do sonho". No psicodrama, o sonhar é visto como um processo criativo importante e, no onirodrama, o protagonista é, ao mesmo tempo, autor e ator. Em lugar de simplesmente relatar o sonho ocorrido, ele parte para a ação tornando visuais as situações vividas no sonho. Moreno ressalta que o fundamental é induzir o sonhador a representar seu sonho, em vez de o terapeuta analisá-lo.

Entre o devaneio e o delírio, como categorias de um mesmo processo, estão a dramatização e o sonho. As quatro categorias diferem quanto ao grau de comprometimento da consciência do "eu" e do vínculo com a realidade objetiva. No devaneio, ou sonhar acordado, ou simplesmente fantasiar, o indivíduo entra num mundo de imagens que se sucedem, sempre dirigido por ele, que pode deixar esse mundo por vontade própria. A dramatização, conforme foi proposta por Moreno, é a representação, no contexto dramático, das imagens conflitivas do mundo do interior do protagonista, e ali tudo ocorre "como se" fosse real. O processo é, de início, totalmente consciente, mas, gradativamente, tomado por forte emoção, o protagonista não consegue ter mais controle lógico e racional. Ele pode sair da dramatização por seu próprio esforço ou com a ajuda do diretor. O sonho ocorre durante a fase paradoxal do sono, quando ocorrem os chamados movimentos oculares rápidos (REM). Caracteriza-se como uma sucessão de imagens de que o sonhador participa ativamente, como protagonista e ao mesmo tempo observador. Para sair do sonho, às vezes é necessário grande esforço subconsciente, como ocorre nos pesadelos. Estímulos externos de natureza afetiva ou não também podem determinar a saída do sonho. O delírio é considerado um elemento característico da loucura, pois implica uma ruptura com a realidade objetiva, além da alteração do juízo crítico. É constituído por imagens que se misturam com a realidade externa, fazendo que os mundos interno e externo não apresentem mais uma nítida demarcação. No delírio não há comando consciente, pois o indivíduo vive plenamente o "mundo delirante" e dele só retornará após um trabalhoso processo de reconstrução da sua identidade.

Ao aporte psicanalítico dos sonhos, que distingue duas categorias (conteúdo manifesto e latente), Moreno afirma que o psicodrama acrescenta uma terceira, que é o *conteúdo existencial e de ação*.

Como pode ser bem observado na parte de protocolos clínicos (capítulo 7 do livro *Psicoterapia de grupo e psicodrama*) pela descrição do onirodrama de Martin Stone (um protagonista com quadro psicótico agudo internado em Beacon em 1941), a forma de Moreno trabalhar o sonho começava com a localização do dia e do local onde ocorreu. Em seguida, pedia que o indivíduo mostrasse com o maior número de detalhes possível o quarto, a cama, a posição na cama, e, depois, fechando os olhos, deixasse que as imagens do sonho viessem com toda a sua vivacidade, como uma sequência de episódios exatamente como havia sido sonhada. Depois de ter o sonho vivamente presente, o protagonista, a pedido do diretor, passava a representar todos os detalhes em gestos e ações. Moreno explicava ao protagonista que os personagens do sonho são como figuras de cera num cenário e que os egos auxiliares que os representam atuam, movem-se, falam ou animam-se somente quando ele, o sonhador, dá a ordem.

Moreno identifica quatro fases na produção psicodramática de sonhos:

1. *O sonho original:* o sonho tal como o indivíduo o teve durante o sono. Todos os seus elementos são alucinações do sonhador.
2. *A representação psicodramática do sonho:* é o sonho em ação no contexto dramático.
3. *A extensão psicodramática do sonho:* consiste em ampliar o sonho além do final que originalmente tinha para o sonhador. Sonhar de novo o sonho, continuá-lo em cena e conduzi-lo a um final que lhe parece o mais indicado.
4. *Efeito pós-psicodramático do sonho:* Zerka Moreno afirma que o indivíduo se torna capaz de aplicar a um novo sonho aquilo que percebeu no trabalho psicodramático. São os efeitos que a dramatização do sonho traz.

Moreno afirma a importância de que ocorram no onirodrama todas as ações vividas no sonho. Devem ser explorados todos os personagens e objetos para que se esclareçam os conteúdos simbólicos neles contidos.

ATUALIZAÇÃO DA TÉCNICA

Teoricamente, qualquer sonho poderia ser dramatizado, mas, na prática, verificamos que os sonhos importantes a serem elucidados são de três tipos:

1. *Pesadelo*: sempre com emoções de forte intensidade, na maioria das vezes apavorante, e que provoca comumente o despertar.
2. *Repetitivo*: aparece por diversas vezes durante meses ou até anos, sempre igual, com discretas modificações.
3. *Focal*: quase sempre curto e pobre em imagens, mas com forte conteúdo emocional, mobilizando o sonhador a elucidá-lo.

Qualquer um desses três tipos, se trabalhados pelo onirodrama, dará ao sonhador algum esclarecimento, permitindo inclusive o acesso a algum conflito interno importante.

Quase sempre ao levar um sonho para a sessão de psicodrama o protagonista tende a contá-lo verbalmente. Procuramos evitar esse procedimento, propondo imediatamente o onirodrama, porque, ao relatar, o indivíduo vai preenchendo lacunas ou mesmo maquiando conteúdos conflitivos importantes que tinham aflorado no sonho. Na dramatização, a linguagem das imagens mantém-se o mais possível fiel ao conteúdo sonhado. Quando o onirodrama ocorre numa sessão de grupo, isso nem sempre é possível, pois o relato do sonho é fundamental para que o protagonista tenha a continência grupal.

O onirodrama pode ser utilizado em psicodrama individual ou de grupo e a dramatização pode ocorrer em cena aberta ou num devaneio dirigido (psicodrama interno).

Inicia-se o trabalho solicitando ao protagonista que refaça o dia que precedeu o sonho. Esta é a fase do pré-sonho e que se constitui num importante aquecimento para o onirodrama, além de frequentemente fornecer dados da dinâmica interna, que surgiu no sonho de forma simbólica. O pré-sonho é comumente feito pela técnica do solilóquio e termina com o indivíduo montando seu quarto, sua cama e deitando-se para dormir na posição habitual. Respeitamos inclusive detalhes como com que roupa dorme (se é que dorme com alguma), se a luz fica acesa ou apagada, se usa ou não travesseiro. Mesmo no onirodrama interno começamos pela fase do pré-sonho. Estando "deitado em sua cama", o protagonista deve fechar os olhos, concentrar a sua atenção dentro de si e começar a relembrar o sonho em todos os detalhes, tal qual um filme. Solicitamos que nos informe logo que o tenha vivamente presente e então propomos a entrada no "mundo dos sonhos", que marcamos com a mudança da luz. Desfazendo o cenário do quarto, solicitamos que coloque em cena todos os elementos do sonho. Essas marcações de contexto são de muita importância, pois facilitam a entrada do protagonista no mundo onírico, livre da lógica aristotélica do mundo mental.

Já na cena do sonho, passamos a explorar cuidadosamente cada elemento que aparece, pois às vezes temos importantes chaves simbólicas para o sonhador em aparentes detalhes. Nesta fase utilizamos a técnica da inversão de papéis. Às vezes trabalhamos o tempo todo da dramatização em cena única, mas outras o sonho constitui-se apenas numa cena inicial, onde identificamos o elo dramático que nos conduzirá ao foco de conflito interno do protagonista. No final sempre retornamos à cena do sonho e finalizamos com o indivíduo deitado na cama e despertando do "sono", para gradativamente voltar ao contexto grupal.

EXEMPLO CLÍNICO

Patrícia está em psicoterapia psicodramática de grupo há onze meses e no dia desta sessão chegou tensa, aflita e angustiada. O grupo, logo de início, mobilizou-se em torno dela, com várias pessoas perguntando o que havia acontecido, ao que Patrícia respondeu ter tido um sonho apavorante. Como era a verdadeira protagonista e tinha a continência grupal, propus imediatamente o onirodrama, com o que ela rapidamente concordou.

No pré-sonho, refizemos em detalhes o dia do sonho, ressaltando um desentendimento com a irmã na hora do almoço e uma briga com o marido à noite. Ela havia ido para a cama com uma forte sensação de abandono e solidão. Deita-se na cama de casal sozinha, com a luz de cabeceira acesa, pois está com medo e este é um hábito antigo que lhe dá segurança. Sua postura é tensa, com o corpo bastante contraído e enrolado, lembrando a posição fetal.

Quando nos avisa do início do sonho, mudamos a cor da luz, desmontamos o cenário do quarto e entramos no "mundo dos sonhos". Pat (é como ela prefere ser chamada) está no meio de uma floresta, perto de uma cachoeira cujo barulho pode até ouvir, mas está perdida e não sabe mais sair de lá. Vai até a cachoeira, onde toma um banho, mas não consegue aproveitar muito, apesar do calor, pois está com um medo enorme. O medo aumenta cada vez mais e ela começa a gritar pedindo socorro desesperadamente, sem que ninguém venha socorrê-la. Cada vez vai ficando mais nervosa e começa a correr desabaladamente sem rumo. Finalmente chega a uma clareira onde encontra um cachorro com os dentes arreganhados, rosnando, com um ar nada amigável. Ao encará-lo, Pat percebe os olhos extremamente vermelhos e sente que ele vai mordê-la. Tenta fugir, mas o cão dá uma mordida em sua coxa esquerda e não a solta mais.

Ao inverter o papel com o cão, Pat diz que tem de ser destruída, pois não ama ninguém, e que veio dos infernos para levá-la e nada poderá salvá-la, porque a única coisa que o faria soltá-la seria alguém expressar amor por ela. Pat grita desesperadamente, gritos do fundo da alma, e ninguém aparece. Ela vai definhando aos poucos, sentindo que suas forças se esvaem.

Solicito que coloquem uma pessoa do grupo em seu lugar e o ego auxiliar toma o papel do cão. Com a técnica do espelho, olhando para fora, diz que Patrícia sempre foi desprezada, que desde o nascimento não foi desejada, apenas tolerada. Foi sempre vista como uma pessoa de gênio mau, em contraste com a "bondade" da irmã, para quem ficava o maior afeto dos pais e dos outros em geral. Pergunto se ela mesma ou alguém pode auxiliá-la naquele momento que concentra a problemática nuclear de sua vida. Ela não hesita e diz que só seu anjo da guarda pode ajudá-la.

Peço que ela tome o papel do anjo da guarda. Ele imediatamente parte para cima do cão com sua "espada de luz", rapidamente separa-o de Pat e com voz firme condena-o a descer às profundezas da Terra e não a importunar mais. A seguir, abraça Pat e diz que agora ela ficará cercada de luz e não precisará temer mais nada, pois poderá contar com a sua proteção e clareza. Pedindo que volte ao papel de Pat, repito esta última cena.

É impressionante sua mudança física: sua cor volta; ela se desdobra e assume uma postura mais ereta; eleva o olhar, que agora passa a ter um brilho mais forte. Dirigindo-se a seu anjo guardião, diz quanto é grata pela ajuda recebida, que agora sabe que não está mais só e que dali para a frente não vai mais ficar com medo por qualquer motivo, nem se incomodar mais com as coisas da irmã, e poderá ser mais companheira do marido. O anjo pergunta se ele pode voltar ao invisível, ao que ela responde que sim, beijando-lhe as mãos em sinal de gratidão.

Retornando ao cenário do quarto e voltando à luz inicial, solicito a Patrícia que volte a deitar-se na cama. Ela está mais relaxada, em decúbito dorsal. Pergunto onde está e Pat responde que está nadando na cachoeira e que já vai voltar para casa, pois está com saudades do marido. Digo-lhe para voltar devagar e pergunto se quer estar agora com ele, mas ela diz que não, porque quer primeiro estar conosco no grupo.

Ela vai voltando, movimentando mãos e pés, espreguiçando-se gostosamente. A luz é gradativamente aumentada até que Patrícia abre os olhos.

Desfazemos o cenário do quarto. Ela imediatamente abraça o ego auxiliar, que é uma mulher da qual guardava muita distância, e chora copiosamente por alguns minutos. A seguir, abraça os outros membros do grupo, que compartilham com ela pontos semelhantes de sua vida quanto a sessão os estava ajudando. Por fim, ela me abraça e agradece por tudo o que havia recebido na sessão, afirmando que a partir de então sente-se outra pessoa: "É como se eu tivesse nascido de novo". Após os comentários finais, encerra-se a sessão.

Foi um onirodrama de cena única, num grupo de psicodrama. Trabalhou-se um núcleo conflitual básico da protagonista, mobilizando um contato forte com o seu "si mesmo" (*self* junguiano), e possibilitou uma integração dos lados feminino e masculino, fazendo-a mais inteira e individualizada. A partir dessa sessão, sua participação no grupo foi muito diferente, pois ela ficou mais integrada aos outros e mais participativa. Melhorou muito sua relação com o marido e com a irmã. Finalmente, decorridos três meses, Patrícia engravidou, após cinco anos de tentativas infrutíferas.

CONSIDERAÇÕES FINAIS

Com esse exemplo, tem-se uma ideia da maneira como trabalhamos atualmente com o onirodrama. No caso de estarmos numa sessão bipessoal, os egos auxiliares são substituídos por objetos (almofadas, blocos de espuma). Nas cenas de forte emoção, nas quais o contato físico é importante, o próprio diretor entra no papel, às vezes só com o corpo, para que a sua voz continue na direção da cena. Quando o onirodrama é feito internamente (psicodrama interno), torna-se algumas vezes necessário passar para uma cena aberta, enquanto em outras vezes começa e termina no devaneio interno dirigido.

Sempre que um sonho focal, repetitivo ou pesadelo nos é trazido, seja numa sessão individual ou de grupo, ele deverá ser olhado como um possível onirodrama. Quando realizado, sempre trará ao protagonista algum esclarecimento ou mesmo, como no exemplo descrito, chegará a uma catarse de integração.

BIBLIOGRAFIA

GONÇALVES, C. S.; WOLFF, J. R.; ALMEIDA, W. C. de. *Lições de psicodrama*. São Paulo: Ágora, 1988.

MORENO, J. L. "Psychodramatic production techniques". *Group Psychotherapy*, v. IV, Nova York, 1952.

_____. *Psicoterapia de grupo e psicodrama*. São Paulo: Mestre Jou, 1974.

_____. *Psicodrama*. São Paulo: Cultrix, 1975.

MORENO, Z. T. "A survey of psychodramatic techniques". *Group Psychoterapy*, v. XII, n. 5, Nova York, 1959.

_____. "Psychodramatic roles, techniques and adjunctive methods". *Group Psychoterapy*, v. XVIII, Nova York, 1965.

_____. *Psicodrama de crianças*. Petrópolis: Vozes, 1975.

WOLFF, J. R. "Onirodrama: contribuição ao estudo dos sonhos em psicoterapia psicodramática". Dissertação (mestrado), Faculdade de Medicina da USP, São Paulo, 1981.

_____. *Sonho e loucura*. São Paulo: Ática, 1985.

8. Técnicas exclusivas para psicóticos

Luís Altenfelder Silva Filho

O PRIMEIRO PSICODRAMA REALIZADO com um psicótico foi dirigido por Moreno, em Beacon, e publicado em 1930. O tratamento descrito é de William, diagnosticado como esquizofrênico. Seu juízo de realidade estava alterado, apresentava autismo, comportamento agressivo, ideias delirantes de conteúdo místico, achava-se o Messias e tinha como missão salvar o mundo. Seu pragmatismo estava bastante comprometido. Era ensimesmado e renitente a qualquer espécie de cooperação.

Para tratar esse paciente, Moreno foi desenvolvendo um método que consistia em criar um mundo "real" baseado em toda a produção psicótica do paciente. O paciente vivia em um ambiente centrado em sua percepção do mundo. Os egos auxiliares entrariam nos personagens de seu delírio, concretizariam suas alucinações. A única pessoa que conservaria seu papel natural seria o paciente. Criou-se um *mundo particular*, que correspondia ao mundo em que vivia. A esse método Moreno chamou de *mundo auxiliar*.

À medida que o paciente foi vivendo esse *psicodrama auxiliar*, abriu-se a possibilidade para que exercesse atos espontâneos, não importando tanto se tinham uma conexão com a realidade comum ou um sentido prático. Interagindo com seus personagens alucinatórios, Moreno foi traçando um mapa de sua rede psicológica, ao mesmo tempo que esse *mundo auxiliar* foi se modificando com as indicações da tele do paciente. Se, por exemplo, desenvolvia uma tele positiva para a cor azul e negativa para o vermelho, a equipe de egos passava a vestir-se mais frequentemente com roupas azuis, e isso agradava a William, aproximando-o. Os acontecimentos que se produziam no interior de seu psicodrama tinham, para ele, uma grande importância. William estava tendo a possibilidade de interagir com personagens de sua criação psicótica, e esses personagens, trabalhados por Moreno e pela equipe de egos, passavam a ser decodificados e compreendidos. Mesmo quando não se conseguia a compreensão, o jogo de papéis já trazia em si uma força terapêutica, a ação ajudava a promover a espontaneidade.

À medida que o paciente melhorava, os papéis podiam se avizinhar mais das pessoas reais, pois ia se recuperando a capacidade para estabelecer relações télicas.

O tratamento de William durou cerca de um ano. Após esse período, apresentou uma melhora que lhe permitiu uma qualidade de vida aceitável: continuava isolado, trabalhando e morando em uma fazenda.

Moreno descreve ainda outro método, que chamou de *método da realização psicodramática*. Por ele podem ser tratados pacientes com quadros delirantes crônicos que levam uma vida normal, ao lado de suas vivências psicóticas. Temos como modelo desses quadros a paranoia e a parafrenia. O método consiste em realizar, na sessão, a vivência delirante. O imaginário do paciente passa a ter uma existência – esta etapa do método é chamada de fase de realização. A segunda fase é o período de substituição: os egos auxiliares que representam os personagens passam também a ter uma existência real. Nesta etapa, o paciente pode vir a se dar conta de que os egos auxiliares que representam seus personagens são médicos ou psicólogos na vida real. O processo terapêutico é cada vez mais baseado em percepções intuitivamente corretas e sobre suas relações baseadas na tele. Passa-se para a terceira fase do método, que é o período de análise. A equipe terapêutica dramatiza as sessões mais importantes, com o diretor fazendo comentários, procurando desfazer o mundo delirante, mostrando que o dramatizado só teve existência naquele contexto. Explica-se de maneira repetitiva, prudentemente que o papel que o ego auxiliar representava tratava-se de uma substituição. Aos poucos o paciente vai reconhecendo no ego auxiliar uma pessoa real e diferindo do papel atribuído por si na dramatização.

Por exemplo, na fase de realização, um delirante crônico que se crê envolvido em um complô pode viver essa trama persecutória com todos os personagens envolvidos, representados pelos egos, que nessa fase os personificam completamente; pode-se inclusive chegar a mandar cartas pelos "personagens". Já na fase de substituição, os egos vão se identificando com seus papéis naturais, de maneira lenta e gradual, de modo que o paciente percebe sua criação delirante. Na terceira fase, analisa-se com o paciente o ocorrido nas dramatizações, buscando significados para sua criação psicótica.

É importante lembrar que, por volta de 1930, a psiquiatria dispunha de poucos recursos para o tratamento de quadros psicóticos. Na época conheciam-se os tratamentos de choque com insulina ou cardiazol; só a partir de 1950 se inicia o período psicofarmacológico.

Em 1939, Moreno publica um artigo em que descreve o que chama de *choque psicodramático*. Trata-se de um procedimento que consiste em reconduzir um paciente que saiu de um surto psicótico a uma segunda psicose, agora experimental, no ambiente protegido da dramatização. Afirma que o momento ideal para aplicação do método é logo após a remissão do surto psicótico, pois ainda estão muito presentes as vivências alucinatórias, delirantes e de estranheza apresentadas durante o surto psicótico. Com esta segunda psicose, que é revivida no psicodrama, o paciente pode representar seus personagens alucinatórios, dramatizar seu delírio, possibilitando uma compreensão profunda, estabelecendo um nexo com sua vida e, portanto, fazendo um sentido com sua história.

O caso descrito por Moreno é o de Elizabeth, que se submeteu a mais de cinquenta sessões de meia a uma hora, que eram espaçadas às vezes por um dia, outras vezes por uma semana ou mais. O princípio teórico usado por Moreno baseava-se na reconstrução de seu átomo social, que é a configuração social das relações interpessoais que se desenvolvem desde o instante do nascimento. Durante o crescimento, a criança não faz somente experiências com os outros, mas também consigo mesma nos diferentes papéis que representa. A partir daí, desenvolve uma imagem de si mesma. Quando não há uma grande diferença entre o que ela é, o que faz e a imagem que tem dela, concluímos que é uma criança bem adaptada. Quando há um hiato muito grande entre a imagem interna e a que representa, passa a viver desencontros que progressivamente a vão isolando das outras pessoas.

Na psicose, o doente perde a capacidade de perceber o outro, portanto sua autoimagem pode estar muito distante daquela que acredita estar tendo com os outros. No estado agudo de um surto psicótico, a relação com os outros está distorcida. Poderíamos dizer que o átomo social é irreal, delirante, e as relações que o paciente estabelece com o mundo exterior se fazem quase que exclusivamente por transferência. O paciente está isolado, interage consigo, acreditando que os outros pertencem a esse universo perdido dentro de si mesmo.

A experiência psicodramática tenta reconstruir o panorama da psicose. Pelo *choque psicodramático* penetra-se no mundo psicótico, buscando o momento da ruptura com a realidade comum para compreender o nascimento da realidade particular.

Com Elizabeth, a doença teve início brusco. Pouco tempo após o casamento, acorda seu marido porque tinha visto um homem na janela de seu quarto. O marido vasculha o telhado e a vizinhança, mas nada encontra. O homem na janela era representado por um gnomo. Foi sua primeira manifestação alucinatória. A doença piora progressivamente e ela é internada após dois dias. Submetida a tratamento com sedativos e sessões de psicoterapia, vai melhorando até que, logo remitido o surto, é submetida ao *choque psicodramático*. A doente sentia que a psicose havia aparecido de maneira inesperada e assim poderia surgir novamente. O *choque* é um treinamento para controle de surtos psicóticos. Fora do surto, o paciente poderá interromper a sessão do choque e ser capaz de fazer crítica de seu estado. O fundamental para o paciente é reviver o surto psicótico, sem a sensação do isolamento, porque o vínculo com os terapeutas produz a sensação do *vivido com*, proporcionando a proteção necessária para a compreensão do surto.

Moreno procura diferenciar o *choque psicodramático* de outras terapias de choque vigentes na época: insulina, cardiazol, eletrochoque e hipnose. Diz que esses tratamentos desarmam o paciente, tornando-o incapaz de agir. Afirma que é um choque no escuro. No tratamento psicodramático, o paciente está consciente e pode experimentar "revivências" com um enfoque compreensivo e libertador.

O choque psicodramático é até hoje um instrumento útil no tratamento de pacientes que apresentam surtos psicóticos. Tem, portanto, larga aplicação nos hospitais psiquiátricos.

Temos modificado esse *choque* proposto por Moreno. As condições brasileiras impõem-nos a criatividade. Não é possível, em termos assistenciais, realizarmos sessões individuais com equipe de egos auxiliares. Não há no Brasil nenhuma instituição psiquiátrica com enfoque psicodramático.

Na enfermaria psiquiátrica do Hospital do Servidor Público Estadual (HSPE) realizo há dez anos sessões semanais de grupo de psicodrama com pacientes internados. O *choque psicodramático* é realizado nas sessões psicodramáticas grupais. Muitas vezes um paciente em surto psicótico estimula o doente que saiu de seu surto a falar sobre as suas vivências psicóticas. O paciente fora do quadro psicótico, agora com uma melhor organização psíquica, revive seu surto, o outro paciente em surto assiste ao psicodrama e participa dele. Muitas vezes de uma maneira delirante, o caos se

Técnicas fundamentais do psicodrama

instala na sala de psicodrama, mas, na medida em que o drama é revivido, surge a emoção que organiza o grupo, a história passa a ter sentido, as identificações se estabelecem, o drama é de todos, a "loucura" é esquecida. Ouvir vozes tem seu sentido, porque o alucinado pode ver e ouvir a alucinação por meio de sua concretização. O conflito camuflado pela doença aparece, agora, com uma possibilidade de resolução ou, então, com pelo menos a possibilidade de ser compreendido. Em uma das sessões, um paciente de início chama a atenção de todos por sua atitude estranha, como tapar os ouvidos com os dedos, levantar-se e andar pela sala, sentar-se novamente, parecendo alheio aos demais. Com isso, o grupo passa a comentar seu comportamento, tanto na sessão quanto na própria enfermaria, pois ele anda muito agitado, perturbando os outros durante a noite e agredindo sem motivo. Outro paciente conta que foi internado nesse estado, ouvia vozes que lhe davam ordens e comentavam sua vida, criticando-a. Alguns falam de suas alucinações: uns atribuem significados religiosos ao sintoma, o conteúdo alucinatório quase sempre é atribuído a espíritos. Dramatizando com um dos pacientes cujo relato fantástico a todos absorvia, pudemos, concretizando sua alucinação, entender seu significado e tornar o sintoma integrado à sua história. A paciente, a quem chamaremos de Joana, conta que ouve a voz de Deus, que a orienta em todos os seus atos por todo o dia, a fim de protegê-la e perdoá-la, porque recebe também influências sexuais em seu corpo por meio de um computador do Instituto de Pesquisas Tecnológicas (IPT). Concretizando as suas alucinações, conversamos com Deus e com o computador do IPT. No papel do computador, ela conta, entre outras coisas, que o aparelho foi programado por um médico que era apaixonado pela paciente para exercer a influência sexual. A cena seguinte não é mais alucinatória. Ela monta um consultório num posto de saúde onde trabalha como atendente. Com o jogo de papéis, investigamos sua percepção e os afetos envolvidos na relação entre Joana e o médico, relação que se mostra com uma carga de afetos bastante intensa. É interessante notar que no papel de médico Joana titubeia, fazendo crítica parcial de sua percepção. Diz neste papel que gosta muito dela, não alimentando nenhuma outra intenção. Em seu papel, já não tem a mesma crítica. A partir do afeto envolvido na cena do consultório, dá origem às outras cenas, agora de conteúdo familiar, em que Joana, sempre a mais retraída de seus irmãos, não consegue competir pelo afeto dos pais, crescendo com desejos e fantasias que não conseguia realizar. Na sessão, chega a admitir que pode ter criado o computador do IPT como forma de realizar seu desejo, mas resiste a esses argumentos, voltando a essas ideias delirantes com um sorriso, sabendo que nossa crença era diferente da dela. Nessa sessão, considero importante ter despertado na paciente a noção de que havia duas realidades: a sua e a dos demais. O grupo, nos comentários, falava de suas crenças delirantes e alucinatórias, querendo buscar um sentido para elas. Aqui a revivência psicótica de outros pacientes se faz por meio do psicodrama de Joana, no qual sintomas que são estranhos para a maioria das pessoas são comuns no grupo e partilhados, podendo ser entendidos.

Para a realização do psicodrama com psicóticos, utilizo quase todas as técnicas desenvolvidas para o psicodrama: do duplo, do espelho, inversão de papéis, solilóquio, concretização, realidade suplementar e outras.

Rojas-Bermúdez publica em 1970 um livro em que relata sua experiência com doentes psicóticos crônicos internados há anos no Hospital J. T. Borda, em Buenos Aires, já praticamente demenciados, com grave deterioração em seu sistema de comunicação, o que torna muito difícil uma abordagem psicoterápica.

Utilizando marionetes nas sessões, descobriu que com elas poderia estabelecer novos vínculos que retiravam o paciente de seu absoluto isolamento e permitiam posteriormente alguma comunicação com membros da equipe terapêutica. Criou a noção de objeto intermediário, um instrumento de comunicação que permite atuar terapeuticamente sobre o paciente sem desencadear estados intensos de alarme.

O princípio teórico do objetivo intermediário está baseado na teoria do núcleo do "eu" de Rojas-Bermúdez. Para o psicótico, a comunicação com outra pessoa pode trazer uma carga de ansiedade e esta faz que o *si mesmo* se dilate. Como sabemos que os papéis, segundo a teoria do núcleo do eu, nascem de si mesmo, na medida em que o si mesmo se dilata ele irá encobrir os papéis, com isso impedindo o vínculo que se estabelece por meio da complementaridade de papel e contrapapel. O objeto intermediário, não provocando reações de alarme, mantém o *si mesmo* em limites normais, havendo então a possibilidade de o vínculo se realizar pelo papel e contrapapel.

O *onirodrama* pode ser utilizado com pacientes que apresentaram surto psicótico, desencadeando a partir do sonho o *choque psicodramático* e daí a "revivência" do ocorrido no surto, o que conduz rapidamente aos conteúdos conflituais e possibilita sua elaboração. Entre nós, José Roberto Wolff descreveu essa técnica aplicada no tratamento de uma paciente psicótica.

CONSIDERAÇÕES FINAIS

No psicodrama de grupo que realizo na enfermaria psiquiátrica não utilizo nenhuma técnica especial. Qualquer procedimento psicodramático é aplicável ao paciente psicótico. Considero importante para a direção dessas sessões um conhecimento da psicopatologia, experiência grande no tratamento com pacientes psicóticos, capacidade para trabalhar em um clima caótico, além, é claro, de experiência com o trabalho psicodramático.

Considero fundamental no tratamento de pacientes em surto psicótico utilizar todos os recursos disponíveis na psiquiatria que se fazem indicados para eles: farmacoterapia ou tratamentos biológicos aliados à abordagem psicoterápica. Em minha experiência, constato que os pacientes submetidos ao psicodrama durante seu surto necessitam de uma menor dose de neurolépticos e quase não apresentam episódios de agitação psicomotora que exijam sedação.

BIBLIOGRAFIA

ALMEIDA, W. C. de. *Formas do encontro: psicoterapia aberta*. São Paulo: Ágora, 1988.

ALTENFELDER SILVA FILHO, L. M.; LIMA, M. O.; KATO, E. S. "Grupo de psicodrama em hospital psiquiátrico; descrição de uma experiência". *Revista da Febrap*, v. 2, 1982, p. 37-41.

BUSTOS, D. M. *Psicoterapia psicodramática*. São Paulo: Brasiliense, 1978.

_____. *O psicodrama*. São Paulo: Summus, 1982.

FONSECA FILHO, J. S. *Psicodrama da loucura*. São Paulo: Ágora, 1980.

KAUFMAN, A.; SILVA, A. L. D. *Psicodrama do psicótico*. IV Congresso Brasileiro de Psiquiatria, Fortaleza, 1976.

MASSARO, G. "Terapia de psicóticos. Contribuições psicodramáticas". *Temas*, v. 12, 1982, p. 117-48.

_____. *Loucura: uma proposta de ação*. São Paulo: Flumem, 1990.

MASSARO, G.; CHAN, A. "Experiência com um grupo de psicóticos toxicômanos". *Revista da Febrap*, v. 2, 1982, p. 143-46.

MONTEIRO, R. E. *Jogos dramáticos*. 8. ed. São Paulo: Ágora, 1994.

MORENO, J. L. *Fundamentos de la sociometría*. Buenos Aires: Paidós, 1972.

_____. *Psicoterapia de grupo e psicodrama*. São Paulo: Mestre Jou, 1974.

_____. *Psicodrama*. São Paulo: Cultrix, 1975.

_____. *Las palabras del padre*. Buenos Aires: Vancu, 1976.

_____. *Fundamentos do psicodrama*. São Paulo: Summus, 1984a.

_____. *O teatro da espontaneidade*. São Paulo: Summus, 1984b.

RAMADAM, Z. B. A. "Psicoses vinculadas: estruturas psicopatológicas inaparentes". *Temas*, v. 15, 1979.

ROJAS-BERMÚDEZ, J. G. E. "El objeto intermediário". *Cuadernos de Psicoterapia*, v. 2, n. 2, Buenos Aires, 1967, p. 25-32.

_____. *Introdução ao psicodrama*. São Paulo: Mestre Jou, 1977.

SILVA DIAS, V. R. C. *Psicodrama: teoria e prática*. São Paulo: Ágora, 1987.

WEIL, R. *Psicodrama*. Rio de Janeiro: Cepa, 1978.

WOLFF, J. R. *Onirodrama. Contribuição aos estudos dos sonhos em psicoterapia psicodramática*. Dissertação (mestrado), Faculdade de Medicina da Universidade de São Paulo, São Paulo, 1981.

_____. *Sonho e loucura*. São Paulo: Ática, 1985.

WOLFF, J. R.; ALTENFELDER SILVA FILHO, L. M. "Um caso de psicodrama de psicóticos". *Revista da Febrap*, v. 1, n. 2, 1978.

PARTE IV

9. Testes de espontaneidade ou "treinamento" para a espontaneidade

Regina Teixeira da Silva

"A PEDIDO DO EXÉRCITO americano e de grandes empresas industriais americanas, Moreno elabora um método de seleção de quadros pelo psicodrama. Tratava-se de eliminar os sujeitos que sofriam de perturbações de adaptação e inaptos para enfrentar as situações novas" (Schützenberger, 1970, p. 137). Assim surge o "teste da espontaneidade".

Moreno define a espontaneidade como a resposta de um indivíduo a uma nova situação ou a uma nova resposta a uma situação antiga. E considerando a ansiedade como função da espontaneidade, mostra que ela será tanto menor quanto maior for a espontaneidade do indivíduo (Moreno, 1972, p. 227).

Como primeira prova de espontaneidade, toma como exemplo o bebê, que, ao nascer, transfere-se de um mundo absolutamente protegido e em equilíbrio para uma situação totalmente nova, na qual deverá sobreviver e gradualmente readquirir seu equilíbrio próprio, contando com uma imaturidade orgânica, principalmente no que se refere ao seu sistema nervoso. Para realizar tal empreendimento, o bebê deverá ser dotado desse fator espontaneidade que o "habilitará a superar a si mesmo, a entrar em novas situações como se carregasse seu organismo, estimulando e excitando todos os seus órgãos para modificar suas estruturas, a fim de que possam enfrentar suas novas responsabilidades" (Moreno, 1987, p. 101).

Com o passar do tempo, entretanto, a espontaneidade vai se tornando menos desenvolvida em relação a outras funções, como, por exemplo, a memória e a inteligência (ressalva feita aos gênios criadores), possivelmente por uma questão de desuso em uma sociedade presa à conserva e à repetição.

Um dos caminhos que Moreno usou para estudar a questão da espontaneidade foi o das táticas de surpresa em laboratório, percebendo pelas respostas que não há nada para o que os seres humanos estejam tão mal preparados do que para a surpresa; logo aqueles seres que ao virem ao mundo sobreviveram e se desenvolveram deparando com surpresa após surpresa.

Em seu estudo sobre espontaneidade, Moreno baseia-se em três aspectos: filosófico, vivencial e experimental.

Neste capítulo daremos ênfase ao aspecto experimental, que se utiliza de provas de experimentação científica, de classificação por notas e da estatística.

Para provar a existência dessa espontaneidade em seus diversos graus em diferentes pessoas, Moreno (1972, p. 228) criou os "testes de espontaneidade", que permitem descobrir os sentimentos em seu estado nascente. Graças a eles, o investigador pode adquirir um melhor conhecimento das reações autênticas que pode apresentar um indivíduo no curso de sua conduta e observar as ações no exato momento em que elas acontecem.

O teste deve satisfazer todas as condições de verificação de uma hipótese e medir a espontaneidade pura, não a confundindo com outras faculdades psicológicas, como inteligência e memória.

A premissa era sempre a de que os indivíduos testados não conheciam de antemão as situações a ser apresentadas e que tipo de resposta deveria ser dada para enfrentar adequadamente a situação proposta.

Além da aplicação do teste nos casos referidos no início deste capítulo, Moreno também utilizava o teste em candidatos à formação para psicodramatistas.

PROCEDIMENTO DO TESTE

O tema do teste é sempre um incêndio e há uma série de emergências que se sucedem e que exigem, para responder a elas, adequação, uma forma de espontaneidade. Mais de trezentos indivíduos foram testados, dos quais alguns foram escolhidos para a descrição que virá a seguir. Eles tinham aproximadamente o mesmo *status* sociométrico e seus quocientes de inteligência estavam entre 75 e 130.

Todos os objetos necessários para as provas estão concretamente nas cenas, e as coordenadas espaciais são as mais reais possíveis. Estão presentes, também, egos auxiliares.

As instruções do diretor devem ser aceitas como "declarações de fato" e são fornecidas de forma gradativa, segundo o desenrolar das cenas. Um júri classifica o grau de adequação e atribui determinado *score*.

Individualmente ou em grupos de oito ou dez, todos enfrentam a mesma situação, em graus crescentes de dificuldade, e aquele que não resolve adequadamente uma emergência é "desclassificado".

TRANSCRIÇÃO DO TESTE

PRIMEIRA SITUAÇÃO

O psicodramatista pede ao sujeito que se situe em sua casa e observe minuciosamente o lugar dos objetos, pedindo-lhe que circule no recinto, levando em conta o lugar ocupado pelos móveis. Pede-lhe, em seguida, que varra a sala, dando-lhe uma vassoura. Trata-se de ver se o sujeito saberá criar essa situação e varrer realmente sem se esquecer de que varre em sua casa e não num palco circular (isto é, debaixo e em volta dos móveis).

Durante a cena, duas pessoas tomam nota e uma terceira registra cada movimento com uma descrição tão minuciosa e detalhada quanto possível.

TÉCNICAS FUNDAMENTAIS DO PSICODRAMA

SEGUNDA SITUAÇÃO

É introduzida pelo psicodramatista, que vem dizer que o fogo pegou o quarto das crianças, que estão dormindo. A porta do quarto das crianças dá para o corredor que está atrás do palco. O sujeito não pode ver a porta; sente a fumaça. Trata-se de saber se vai permanecer impassível e recusar-se a reagir, enquanto varre, ou se interrompe o trabalho e não sabe adaptar-se à nova situação. Essas duas atitudes são fracassos completos. O fracasso social será entrar na representação, fugir porque há fogo. O êxito consistirá, por um lado, em ocupar-se das crianças e, por outro, procurar apagar o fogo: procurar água, chamar os bombeiros.

TERCEIRA SITUAÇÃO

A mãe do sujeito chega por trás e corre o risco de sofrer queimaduras se não for prevenida a tempo. Como fazer? Há, agora, as crianças, o fogo que invade a casa, a mãe que se encontra fora e em perigo.

Os mesmos critérios de êxito e de sucesso que Moreno aplicou para a situação anterior serão válidos para esta. Simplesmente a escolha é maior; por conseguinte, mais difícil.

QUARTA SITUAÇÃO

A mãe das crianças entra (é um ego auxiliar) e desfalece (geralmente cai no chão). Ao mesmo tempo, ouvimos as crianças que começam a chorar e ameaçam levantar-se.

A situação assim complicada torna-se cada vez mais difícil de ser integrada. Trata-se de ver até onde o sujeito poderá adaptar--se a essa série catastrófica de acontecimentos.

QUINTA SITUAÇÃO

O sujeito tem joias e manuscritos a salvar, objetos preciosos que se encontram no primeiro andar da casa. O proprietário da casa não tem, materialmente falando, tempo de salvar sua família e seu manuscrito. Além do mais, o quarto está cheio de fumaça, não pode passar pela escada e deve dar um salto de três metros pela janela.

Quanto mais o sujeito puder prosseguir o teste, mais terá possibilidade de espontaneidade (mas certas espontaneidades são patológicas). Vê-se que a espontaneidade do indivíduo está submetida a provas mais severas quanto mais ele avança (Moreno, 1987).

ANÁLISE SISTEMÁTICA DAS RESPOSTAS

Foram levados em conta, comparando-se com situações reais: oportunidade da resposta; o tempo de aquecimento; a execução do ato de forma clara e coerente com a situação. Havia sempre uma faixa de tolerância, aquém da qual era dado um *score* negativo.

Os sistemas de valores que dominam nossa cultura também foram levados em conta. Assim, a mais elevada era salvar a vida de outrem, principalmente crianças, além de não realizar bravatas desnecessárias, pondo em risco a si próprio ou a outros.

Verificou-se que um primeiro grupo não passou da primeira fase porque escapava da emergência para salvar a própria vida ou pedir socorro. Um segundo grupo terminou seus recursos ao entrar na casa incendiada. Assim, só um pequeno grupo atingiu o quinto nível.

Ficou clara a relação entre o número de emergências pelas quais um sujeito pode passar e o alcance de sua espontaneidade. Tal fato fica claro pelo crescente aparecimento de percepção inadequada do papel, medíocre senso de oportunidade e desperdício de movimentos.

Sem pretender aplicar a teoria da espontaneidade a todas as leis da natureza em relação aos fenômenos biológicos do nosso universo, podemos, no entanto, entender que ela contribui tanto para sua formação como para a reorganização dele. Portanto, a espontaneidade deve ser considerada o mais importante vitalizador da estrutura viva.

Como função dramática, ela energiza e une o "eu". Como função plástica, evoca respostas adequadas a situações novas. Como função criadora, esforça-se para criar o "eu" e um meio adequado para ele. No entanto, se essas funções são deixadas sem direção, desenvolvem-se tendências contraditórias que provocam a não unidade do "eu" e o desmembramento do meio cultural.

Por meio dos testes de espontaneidade e do "treinamento" da espontaneidade, pode ser facilitada a gradual fusão e coordenação de todas as funções (Schützenberger, 1970).

Outra modalidade interessante do teste de espontaneidade usada por Moreno refere-se a pequenos grupos, permitindo construir a matriz socioemocional do grupo.

Encontramos a descrição dessa técnica no livro *Fundamentos de sociometria*, quando Moreno se refere ao seu trabalho na escola de Hudson, um reformatório para moças.

Trata-se, portanto, de um grupo que já tem uma sociometria prévia, e o teste se desenvolve da seguinte maneira: pede-se a uma pessoa que busque em si uma emoção que experimenta na presença de um dos companheiros de grupo. A seguir, colocando-se diante desse companheiro, deve imaginar uma situação em que essa emoção esteja presente, bem como tudo o que sente sinceramente naquele momento. Assim, inicia-se uma cena em que devem ser expressas todas as sensações vividas no cotidiano com aquele companheiro. Este, por sua vez, deve reagir como faria habitualmente diante das manifestações do primeiro.

É uma situação diferente do psicodrama, pois o contrapapel é jogado pela pessoa real e não por um ego auxiliar, isto é, um agente artificial. Como há interesse em verificar a complementaridade, aquele que contracenava passa a ser o sujeito da ação. Sucessivamente, todos os membros do grupo passam pelo teste, vivenciando as duas posições.

O interesse do teste está na espontaneidade total que ele exige do sujeito.

CONSIDERAÇÕES FINAIS

Uma aplicação muito próxima aos testes realizados por Moreno pode-se verificar hoje em dia em grande número de empresas para a seleção de seus candidatos. Estes passam, por exemplo, um fim de semana em um aprazível local, onde se mantém uma área desconhecida para eles e na qual durante algumas horas eles deverão, de olhos vendados, enfrentar uma série de obstáculos e estabelecer contatos com situações e pessoas. A adequação de suas respostas tem peso marcante em suas contratações.

Na prática clínica e didática, sem a intenção de realizar uma medição de caráter científico, também observamos os graus de espontaneidade.

Um jogo que pode nos dar uma ideia bem aproximada da espontaneidade presente em um grupo é o seguinte: dá-se uma consigna em que todos pertencem a uma firma e cada um recebe em segredo um papel em que lhe é determinada uma função dentro da empresa, uma atitude, interesses pessoais e aliança com determinados elementos para fins científicos.

O grupo é posto em ação. Cada participante ignora que papel desempenha o outro e o que pretende. Pelos contatos estabelecidos, cada um deve ir percebendo a trama, identificando personagens e interesses.

Tem-se assim uma boa leitura da espontaneidade dos participantes, no que se refere tanto à percepção do outro como ao conhecer-se, sempre respeitando a regra de sigilo da consigna, jamais explicitando sua posição, nem tentando "arrancar" do outro essa informação.

Outro jogo também interessante é fazer que metade do grupo participe de uma ação e a outra penetre no recinto após certo tempo, e a partir da interação, novamente sem a explicitação, tente descobrir o que se passa.

Na psicoterapia, é claro, há inúmeros exemplos de como o protagonista devidamente aquecido torna-se um ator espontâneo, bem como aqueles que contracenam com ele.

Ainda no campo da psicoterapia pode-se verificar como um cliente, ao jogar um papel que não é o seu, portanto livre dos compromissos com aquilo que é e que supõe que se espera dele, se descobre livre, rápido em suas associações e respostas, espontâneo.

Um exemplo de situação semelhante é o caso do paciente que sofre de gagueira e que, ao desempenhar um papel que não o próprio, fala fluentemente.

Tanto no teste realizado por Moreno como nos exemplos citados, estamos, além de avaliando o grau de espontaneidade, fazendo um treinamento, um desenvolvimento dessa qualidade inerente ao ser humano. Uma das formas mais eficientes de desenvolvê-la é por meio dos "jogos dramáticos". Como afirma Regina Fourneaut Monteiro (1980), "a essência do jogo reside nessa capacidade de espontaneidade que faz surgir no jogo o sentido de liberdade e permite ao homem 'viajar' ao mundo da imaginação e, através dele, recriar, descobrir novas formas de atuação".

Também Anne Ancelin Schützenberger utiliza os testes de espontaneidade e as situações padrão de vida como aquecimento e treinamento para a flexibilidade e para a espontaneidade, não como provas (com notas) frequentemente frustrantes e angustiantes para os candidatos.

Como vemos, Moreno, com sua reconhecida criatividade, desenvolveu esse curso psicodramático – que continua tendo uma utilização produtiva até hoje.

BIBLIOGRAFIA

MORENO, J. L. *Fundamentos de la sociometría*. Buenos Aires: Paidós, 1972.

_____. *Psicodrama*. 2. ed. São Paulo: Cultrix, 1987.

MONTEIRO, R. F. *Jogos dramáticos*. 8. ed. São Paulo: Ágora, 1994.

SCHÜTZENBERGER, A. A. *Teatro da vida – Psicodrama*. São Paulo: Duas Cidades, 1970.

10. Interpolação de resistências

Carlos Calvente

QUANDO FUI CONVIDADO PARA escrever este capítulo sobre as técnicas originais de Moreno, comentei com Regina Fourneaut Monteiro (Réo) sua percepção télica. Escrevendo um trabalho sobre supervisão um pouco antes, havia refletido a respeito da interpolação de resistências. Portanto, já havia dado início ao meu aquecimento. Acredito conhecer a expressão interpolação de resistências desde que comecei a estudar psicodrama. Ela é sempre mencionada como uma técnica, como imagino que a conhecem todos os psicodramatistas. Curiosamente, porém, de uma maneira que não havia me ocorrido antes com outros recursos ou técnicas psicodramáticas, não chegava a uma explicação clara do significado de interpolação de resistências. Sobretudo a respeito de sua finalidade, do objeto a que ela se referia. Nem mesmo conseguia encontrar pontos de convergência nas maneiras como cada pessoa entendia a expressão, ou como utilizá-la.

Constatei assim que havia várias versões quanto à maneira de utilizar essa técnica. Porém, perguntei-me: será uma técnica? Já veremos se a pergunta tem sentido.

Assim, entreguei-me à tarefa de entender por mim mesmo o significado da expressão interpolação de resistências e a forma como a utilizo, em especial na supervisão. Quando surgiu o convite, eu me senti estimulado a pesquisar o tema de forma mais sistemática.

AS TÉCNICAS E O SENTIDO

Uma técnica é um recurso instrumental. Em si mesma ela não significa nada, sendo, podemos dizer, neutra. Para que assuma algum sentido, requer pelo menos dois elementos: uma teoria na qual se fundamente e uma finalidade para a qual aponte. Isso fica nítido diante do que neste livro denominamos técnicas básicas: duplo, espelho, inversão de papéis. Aqui, vemos que, baseado em sua teoria do desenvolvimento infantil, Moreno sinaliza com cada uma delas no sentido de resolver ou evidenciar conflitos em cada etapa específica. Alguma coisa parecida pode ser dita com relação ao resto das técnicas mais conhecidas. Isso pode ser verificado na enumeração e descrição de técnicas que fazem tanto o próprio Moreno em diferentes trabalhos quanto Zerka em seu artigo "Exame das técnicas psicodramáticas" (1977). Ali ela esclarece: "Enumeraremos algumas delas, acrescentando algumas breves ilustrações". "Frequentemente os diretores se veem obrigados a inventar novas técnicas ou a modificar as velhas no momento, para enfrentar uma situação problemática que o paciente apresenta". Nessas descrições, vemos no que se baseiam e em que direção apontam. Em nenhum desses trabalhos aparece especificamente descrita a interpolação de resistências. De onde, então, tiramos a expressão? Procure-nos em outra parte.

RESISTÊNCIA

O que é resistência em psicoterapia e o que é resistência no psicodrama? Sinteticamente, para os objetivos deste capítulo, podemos dizer que são todas aquelas atitudes, comportamentos ou ações que dificultam o avanço do tratamento e que provêm do paciente ou do terapeuta. Sim, do terapeuta também, e a isso Moreno, genericamente, chama de contraespontaneidade.

Aqui vamos tratar da resistência do paciente. Na psicanálise, a resistência é rapidamente detectada e é o motivo pelo qual Freud abandona a hipnose na cura, diante da dificuldade que alguns pacientes têm de ser hipnotizados, e começa, por sugestão de uma paciente, a usar a livre associação. Com ela a resistência não desaparece, mas assume novas formas. Uma delas, especialmente importante, é a transferência, que logo se transforma no motor da cura.

Como se pode ver, o tema da resistência é um capítulo importante em toda forma de psicoterapia.

Existe similaridade entre a resistência na psicanálise e no psicodrama? Não. A única coisa que ambas têm em comum é o nome e o fenômeno a que se referem. Porém, é entendida e trabalhada de forma totalmente diferente. Curiosamente, no início é entendida de forma oposta. Moreno, quanto mais fala da interpolação de resistência, mais a vê como um fenômeno desejável. Porém, ele nem sempre se referiu à resistência nos mesmos termos.

Não nos alongando em demasia, podemos falar de duas posturas de Moreno com relação à resistência e à vinculação disso com a conceituação que vai assumindo com relação à doença, e em particular à teoria da espontaneidade/criatividade.

Numa primeira fase, parece estar mais interessado em conseguir que o paciente atue, que psicodramatize, e coloca então certa ênfase na autoexpressão e na aceitação do método. É quando ele, falando de sua paciente Mary, diz: "Comecemos o tratamento com apoio total dos esforços de Mary, usando o procedimento chamado de técnica de realização dramática". Inventa, então, formas para chegar a isso, enumera várias e numa delas afirma: "A protagonista trabalha com uma participação mínima dos egos auxiliares. Uma protagonista autista pode querer no início do tratamento interpretar todos os papéis. À medida que gradualmente permita a outros que participem, indicará seu progresso no sentido da sociabilidade, é um teste de realidade". Se Freud dissesse isso, poderia se pensar que estaria falando do "princípio do

TÉCNICAS FUNDAMENTAIS DO PSICODRAMA

prazer", e essa ideia se acentua quando, um pouco mais adiante, fala da relação entre o psicodrama e o sonho, para acabar afirmando: "Aquele que sonha pode continuar sonhando as coisas mais fantásticas sem *resistência* de suas características, já que elas e todo o conjunto são de sua própria produção. Num psicodrama, o protagonista também pode fazê-lo, mas outras dimensões são acrescentadas; os egos auxiliares frequentemente ou estendem ou *resistem* aos sonhos do protagonista, lhe respondem ou discutem e podem ajudá-lo a modificar a trama, caso seja necessário".

De todos os lados parte a *contrarreação* ao protagonista. Podem-se experimentar e *interpolar resistências* e graus de todo tipo, embora mesmo contrários aos planejados pelo protagonista. Podemos dizer que neste instante, para Moreno, a interpolação de resistências opera como um "princípio de realidade".

Isso é mais notório quando, falando do processo terapêutico de seu paciente Roberto, diz: "A resistência que descobrimos aqui não é a resistência interna do paciente. Ela está entre o paciente e o companheiro ou companheiros, é uma resistência interpessoal. Portanto, no caso de Roberto uma medida terapêutica foi a *interpolação de resistência*. Diante de sua ilimitada autoexpressão e autoexibição, foram colocados cuidadosamente objetos, fatos e pessoas. Vimos que em média ele se dava melhor que os outros em tentativas de autoexpressão ininterrupta, mas que com frequência agia comparativamente mal em confrontações nas quais se colocava outro eu agressivo como resistência no curso de sua ação. A resistência tinha de ser cuidadosamente graduada. Nessa forma simples de exercício da espontaneidade, é possível inventar muitas variedades de resistências para satisfazer as necessidades do paciente".

É nessa fase de seu pensamento, de sua forma de entender a doença, que ele mais fala de interpolação de resistências. Isso corresponde ao final dos anos 1930 e à década de 1940, quando ele mais trabalha com psicóticos. A proposta é assumir como terapeuta toda a resistência, fazendo um contorno onde estas não "existam": Técnica do Mundo Auxiliar, Psicodrama Alucinatório, Técnicas de Autorrealização, para citar algumas. Uma vez isso oferecido, alcançada assim a expressão da espontaneidade, torna-se necessário ir incorporando, interpondo resistências que permitam a adequação à realidade da frustração. Winnicott diria, referindo-se à função da maternização, "dar o mundo em pequenas doses".

Inclusive nessa etapa Moreno realiza um diagnóstico preciso sobre o ponto em que surgem as resistências: a) derivadas do papel; b) as pessoas que atuam nela; c) das cenas. Faz, como ele mesmo disse, "uma cuidadosa eliminação das resistências interpessoais no nível simbólico".

Devemos levar isso em conta, porque fornece a sustentação para utilizar a interpolação de resistência de outra maneira.

Até aqui temos uma primeira concepção de Moreno a respeito da resistência que parte da ideia de compreender os sintomas e a doença como resposta da espontaneidade à frustração das necessidades de encontrar "complementários" adequados. Ele afirma: "Estava bloqueada para encontrá-los no seu real e adoeceu". A ideia, portanto, o que ele chama de "teoria do procedimento", é a "técnica de realização psicodramática". Como dizemos, esta consiste na realização da própria realidade para em seguida ir substituindo-a pela outra, pela realidade compartilhada. Para essa concepção, era nisso que consistia a interpolação de resistências.

No entanto, essa definição é a única forma pela qual Moreno entende a resistência. Naquilo que pretende num momento posterior e como consequência do seu trabalho com grupos terapêuticos e com pacientes menos regressivos em suas manifestações, define a resistência mais como oposição a mudanças. Como o temor à expressão espontânea dos afetos e ao abandono da comodidade da conserva, lemos em *Psicoterapia de grupo e psicodrama*: "O caminho da psicanálise é aproveitar a transferência do paciente utilizando sua resistência [...] O terapeuta psicodramático, por outra parte, não é, como o psicanalista, o ouvinte tranquilo e passivo, precisa lutar para promover a produtividade do paciente. Por isso a transferência às vezes começa a partir dele e é poderosa, como a de um homem que ama uma mulher e toma a iniciativa". O terapeuta e o paciente se estimulam reciprocamente. É um autêntico encontro, uma luta de espíritos. O diretor tenta motivar o paciente para que este represente um problema que o perturba no momento, mas o paciente pode opor resistência.

Essa resistência pode ser grande ou pequena. Às vezes Moreno fala em quebrar as resistências, inventa tramas, técnicas e até seduz para fazer abandoná-la.

Podemos dizer que, profundamente convencido do poder criativo da espontaneidade, ele passa, ou dá a impressão de passar, por cima das resistências para convencer o protagonista a viver seus papéis adiados. Ele afirma: "No curso de sua doença dedicou grande quantidade de energia própria às imagens oníricas de seu pai, sua mãe, sua mulher e seus filhos, assim como algumas imagens que trazem de si uma existência própria: suas fantasias e alucinações. Gastou nelas uma grande parte de sua espontaneidade, de sua força e sua produtividade. Foi despojado de sua riqueza; ficou pobre, débil e doente. Agora o psicodrama, como uma graça divina, devolve-lhe tudo o que ele havia vinculado às criações alienadas do seu espírito".

Começamos a concluir que unido a essas concepções aparece em seus textos com maior frequência e parece ter ênfase o tema do aquecimento. O aquecimento, o *warming-up*, é a maneira, portanto, de lidar com a resistência.

INTERPOLAÇÃO DE RESISTÊNCIA

Na introdução necessária para nos situarmos em nosso tema, permaneceram pendentes uma pergunta e uma advertência. A pergunta é: a interpolação de resistência é uma técnica? A advertência está relacionada ao ponto em que Moreno vê a resistência, ou seja: relaciona-se com o papel, as pessoas que o representam ou as cenas.

Comecemos pela pergunta. De acordo com o que vimos, quanto mais Moreno fala de interpolação de resistência, não se refere a uma técnica específica. Nesse sentido, poderíamos dizer que a interpolação não é uma técnica. Isso nos explica por que não é frequente encontrá-la claramente detalhada nos artigos atados, que falam especificamente de técnicas psicodramáticas. A interpolação era entendida como os recursos interpostos em determinadas patologias para melhor adequação à realidade. Por isso, sempre que falamos sobre interpolações de resistência, dizemos que esta é um caminho a ser percorrido com esses recursos. Ou seja: dar o mundo em pequenas doses. Isso não é como entendemos ou entendo atualmente a interpolação de resistência. Vejamos o segundo ponto: a resistência e seu diagnóstico. Moreno nos diz que surgem com relação ao papel, à pessoa que o representa, às cenas. Acrescento uma de ordem geral, que é em relação à dramatização. Para utilizar a interpolação, precisamos fazer um diagnóstico em que surja a resistência. Comecemos pela última: se a resistência é a dramatizar, a interpolação será não usar a dramatização pessoal nesse momento e estendermos o aquecimento não específico até situar o lugar de menor resistência e que será o protagonista. Em segundo lugar, se a resistência é à pessoa que representa o papel, resolve-se pedindo ao protagonista que escolha o auxiliar com o qual sinta menor resistência. Ou seja, aquele com quem sente melhor relação télica para esse papel.

Assim, usamos a técnica de interpolação, de modo específico, com as resistências ligadas ao papel ou à cena. Agora, vejamos um exemplo tomado de Moreno a respeito do uso da interpolação no papel. Ele é consultado por uma mãe cujo filho, um garoto, a agride antes de ir dormir e quando recebem visitas.

Moreno percebe que o garoto gosta de histórias de príncipes e heróis. Propõe então uma cena na qual o garoto é um príncipe. Uma auxiliar, escolhida pelo próprio garoto, faz o papel de rainha-mãe. São então representadas as mesmas cenas em que ele é agressivo com sua mãe, ou seja, a rainha levando seu filho (o garoto) para dormir e o príncipe na presença de visitas com a rainha. O garoto aceita a representação. Em seguida, a rainha assume papéis mais autoritários e o garoto como príncipe aceita limitar suas palavras e ações. Por fim, o garoto acaba desempenhando papéis semelhantes com sua própria mãe.

Acredito que aqui fica evidente a interpolação utilizada quando a resistência está ligada ao papel. Vemos aqui a técnica utilizada em dramatizações sucessivas em que vai desde papéis menos resistidos até aqueles que podem ser mais.

Utilizo a interpolação de resistência combinada com outras técnicas no trabalho de supervisão terapêutica. Por exemplo, um terapeuta descreve uma sequência na qual sente um terrível aborrecimento e não sabe ou não consegue reagir ou devolvê-lo. Peço ao terapeuta que faça essa cena com um auxiliar e depois solicito que saia para que veja a cena de fora e proponha que lhe dê um nome – tédio, por exemplo. A partir daí começa a montar cenas que estão relacionadas com isso. Surgem cenas de discursos, trabalhos rotineiros, tarefas repetitivas. O terapeuta representa essas cenas com maior liberdade e entusiasmo até encontrar em alguma ou algumas o que verifica na sessão.

Essa é outra forma de utilizar a interpolação a partir de uma cena de forte resistência, a primeira, até cenas que oferecem menos resistência, para compreender o conteúdo e retornar à inicial.

Uma terceira maneira de usar a interpolação de resistência consiste em variar as características da contrarrepresentação, papel complementário ou "contrapapel", para permitir ao protagonista a expressão de afetos reprimidos. Um exemplo: um paciente de cerca de 30 anos apresenta a queixa de brigar com seu pai toda vez que fala com ele.

Ele nos apresenta uma cena com o pai doente. Vai falar com ele para fazer-lhe companhia e ver se precisa de alguma coisa. O pai mostra-se silencioso, pouco depois começam a discutir e o paciente retira-se, chateado. Essa é a cena que mostra o paciente e o pai, *que ele dramatiza*, na inversão de papéis.

Peço que se repita a cena e dou instruções ao auxiliar para que comece a fazer o papel e em seguida o modifique até se mostrar um homem desamparado e doente, com medo de morrer. O protagonista não ouve essas instruções. A cena é novamente representada e o auxiliar começa mostrando o pai fechado e silencioso que o protagonista apresentou. Quando este começa a se aborrecer, o auxiliar, no papel de pai, começa a mudar e a mostrar seu medo e preocupação. O protagonista, surpreendido diante desse pai, começa a se angustiar e acaba chorando, pedindo-lhe que não morra. Depois, comenta que não percebia como estimulava o pai, ao qual preferia ver aborrecido e não moribundo.

Definitivamente, utilizo a interpolação atualmente mudando as características do contrapapel para resolver as resistências ligadas ao papel, mudando as cenas para resolver as resistências ligadas a elas.

O motivo que me faz trabalhar assim leva em conta os conceitos de aquecimento que Moreno também postulou. Dessa maneira, a interpolação é utilizada para encontrar em outras cenas ou outros papéis e "contrapapéis" aquecimentos mais amplos que incluam a situação de conflito. Moreno expressa isso assim: "No aquecimento terapêutico foi mobilizada uma extensão de personalidade maior do que no aquecimento para o sintoma".

CONSIDERAÇÕES FINAIS

Quero dizer que o objetivo da interpolação de resistência é encontrado em novos caminhos para que a criatividade se manifeste.

Para encerrar, quero fazer uma reflexão a respeito do nome dessa técnica. Acredito que a expressão interpolação de resistência é pouco feliz porque confunde mais do que esclarece. Se nos prendemos ao que ela afirma, é difícil pensar como interpolar (que significa colocar entre dois polos, ou seja, entre papel e "contrapapel") uma resistência para favorecer a expressão da espontaneidade e da criatividade.

Porém, justamente para que a expressão fosse entendida, fiz uma narrativa da história do conceito, ou seja, de quando surge, pois naquele momento ele era descritivo, em função da compreensão que Moreno tinha do ato de adoecer. Este era uma espécie de intolerância diante da aceitação da frustração representada pela presença e pela necessidade dos outros. Portanto, a interpolação de resistências era vista como um recurso que gradualmente lhe permitiria aceitar a resistência, o que significa o outro, sem bloquear-se. Entretanto, quando começou a dar mais importância ao processo de aquecimento, aquela expressão deixou de ter vigência e Moreno inclusive deixou de utilizá-la. Para mostrar tudo isso, vi-me obrigado a fazer essas longas citações de Moreno.

Acredito que seria mais adequado com relação ao modo como usamos esse recurso atualmente falar de interpolação de aquecimento, porque é disto que se trata: de criar outras condições para revelar o bloqueio. Acho que confunde porque o sentido do recurso foi modificado e se manteve o nome que era descritivo daquele outro sentido e não deste, que é uma interpolação de aquecimento.

BIBLIOGRAFIA

LAPLANCHE, J.; PONTALIS, J.-B. *Diccionario de psicoanálisis*. Buenos Aires: Labor, 1971.

MORENO, J. L. *Psicoterapia de grupo y psicodrama*. Cidade do México: Fondo de Cultura Económica, 1966.

_____. "Normas y técnicas fundamentales del psicodrama". *Cuadernos de Psicoterapia*, v. 4, n. 1, Buenos Aires, 1969.

_____. *Psicodrama*. Buenos Aires: Hormé, 1972.

MORENO, Z. T. *Fundamentos y normas del psicodrama*. Buenos Aires: Hormé, 1977.

NOSEDA, E. B. de. *Psicodrama pedagógico en el psicodrama: aplicaciones de la técnica psicodramática*. Buenos Aires: Plus Ultra, 1974.

11. Autoapresentação, apresentação do átomo social, solilóquio, concretização e confronto

Antônio Gonçalves dos Santos

Jacob Levy Moreno foi um criador. As técnicas apresentadas neste capítulo mostram sua inventividade, a multiplicidade de usos e as variantes dentro de um mesmo recurso. O processo de descoberta e desenvolvimento de tais técnicas revela íntima ligação com a própria história do psicodrama e, portanto, com a história de seu criador.

AUTOAPRESENTAÇÃO

A técnica de autoapresentação se insere no contexto da transformação realizada por Moreno, do teatro clássico em teatro terapêutico. Neste, na produção conjunta da plateia com o "palco", o autor é um autor-ator, que se desvela na ação dramática: representando-se como protagonista, por meio do desempenho de papéis diante de um auditório, rompendo a separação entre o mundo privado e o mundo político, na busca da catarse. No aqui e agora, o diretor, o autor-ator e o auditório convergem na articulação do drama individual com a trama coletiva. O método fundamental "é o desempenho do papel espontâneo-criador, personificando outras formas de existir, através da representação, para exploração e expansão do 'eu' e para o conhecimento dos universos desconhecidos" (Moreno, 1982).

Essa técnica faz parte da criação do Teatro Espontâneo em Viena, ainda que as referências de Moreno à sua utilização estejam apenas nos escritos publicados nos Estados Unidos.

"A técnica psicodramática mais simples consiste em deixar que o paciente converse consigo mesmo, isto é, que reviva na presença do psiquiatra situações que fazem parte de sua vida cotidiana, em especial os conflitos cruciais em que está envolvido" (*ibidem*, p. 239). Dentro dessa conceituação é que a autoapresentação está definida: o cliente apresenta-se ao grupo falando de si, apresentando-se no cenário dramático tal como ele é, nos papéis que desempenha na sua vida e, às vezes, com os personagens de seu "mundo pessoal". Ele começa por seu nome, idade, profissão, local de trabalho, situação familiar, vida afetiva, problemas. A seguir, ou mesmo durante a autoapresentação, o cliente escolhe, ou lhe é solicitado pelo terapeuta que o faça, papéis ou cenas significativas de sua vida, para "se mostrar" aos outros e a si mesmo. Desse modo, é convidado a desvelar suas dificuldades ou conflitos.

O cliente pode, portanto, se apresentar sendo ele mesmo ou como se fosse seu próprio pai, namorada, chefe, irmão. Assim, ele pode se autoapresentar falando de si nos diversos papéis que desempenha na vida, ou escolhendo um desses papéis, ou ainda "sendo" um dos personagens de seu mundo pessoal. Ele pode se colocar, por exemplo, no papel profissional. No caso de um professor: "Ensino matemática no segundo grau, dou 35 aulas semanais, não gosto de alunos indisciplinados, não sei o que fazer com eles; estou há dez anos na Escola X, penso em mudar, mas me falta estímulo ou talvez eu tenha medo etc.". Ou pode ainda fazer uma autoapresentação dramatizada "sendo" sua namorada, que o mostrará nos diferentes papéis que ele vive, falando com destaque das dificuldades e conflitos do cliente. Esse tipo de trabalho pode ser feito, também, com a escolha pelo cliente de um objeto seu que o apresente. Por exemplo: "O fulano é muito bom, preocupa-se bastante com seu trabalho, gosta dos alunos; reclama que a escola onde trabalha não lhe agrada, mas fica apenas se queixando, não faz nada para mudar. Acho que está acostumado a ficar reclamando e não toma nenhuma providência, acaba sendo chato e repetitivo. É do tipo queixoso, mas inseguro, tem medo de perder o que tem e não se arrisca a mudar. Às vezes sinto isso em relação ao namoro: fica acomodado". Outra forma é a autoapresentação pela montagem de imagens estáticas ou em movimento, destacando as vivências-chave. Aqui o terapeuta pode pedir solilóquio dos diversos personagens representados pelo protagonista presente nas imagens.

O cliente pode levar ou ser convidado pelo terapeuta a expor uma cena com algum personagem importante de suas relações, mostrando uma situação significativa por ele vivida. Por exemplo, traz uma conversa com a namorada, em que há uma discussão porque ela o recrimina por não procurar um trabalho mais recompensador. Aqui o paciente desempenha os papéis dos personagens presentes na cena, com o auxílio de um ou mais egos auxiliares.

As situações-chave psicodramatizadas podem ser atuais, do passado recente ou remoto, ou mesmo do futuro.

O cliente é "solicitado a retratar não só a situação vivida, mas uma que a complemente", representando "de um modo tão concreto e consciencioso quanto possível [...] Pede-se que ele retrate essas situações com tantos detalhes quanto possível em colaboração com um parceiro, se necessário". Desse modo, se na cena escolhida pelo paciente ele for um personagem solitário, ele dramatizará sozinho. Caso tenha parceiros concretos, é desejável que estes "estejam presentes e representem com ele a situação no palco. Se a pessoa concreta que ela imagina não for acessível, pede-se que escolha entre as pessoas presentes alguma que se pareça com ela" (Moreno, 1982, p. 239). Portanto, o paciente pode contracenar com pessoas reais e presentes (terapias vinculares, participantes do grupo), fazê-lo com um dos participantes do grupo ou mesmo com um dos terapeutas na função de ego auxiliar. Moreno destaca que o cliente nessa técnica "muitas vezes não é apenas ele mesmo, mas também seu próprio assistente. O próprio paciente converte-se em ego auxiliar" (*ibidem*, p. 240).

O protagonista é sempre auxiliado por um dos terapeutas (diretor ou ego auxiliar) em seu aquecimento, em que poderá

Técnicas fundamentais do psicodrama

participar ou não da dramatização, de acordo com a situação. Mas, mesmo ficando fora da cena, permanece no local do psicodrama, sendo "uma pessoa diante da qual o paciente atua. A telerrelação do paciente com seu ego auxiliar tem uma influência definida sobre a estrutura da ação psicodramática". Para Moreno (*ibidem*, p. 239), "o ego auxiliar observa, estimula e comenta com o cliente suas ações e este, às vezes, lhe explica o que faz em cena".

Apresento a seguir dois exemplos, transcritos literalmente:

> O paciente, um rapaz de 14 anos, acostumado a fugir de casa, assume o papel do pai numa situação familiar típica. Um ego auxiliar assume o papel da mãe. Bill (o paciente) informou previamente o ego auxiliar a respeito das atitudes de sua mãe diante do pai.
>
> Bill, como se fosse o pai de fora da cena (representando seu escritório), berra, furioso, para a mulher, com voz tonitruante de cólera: "Estela, pelo amor de Deus, pare de chorar! Estou ficando maluco! Assim não posso trabalhar aqui!"
>
> A mãe: "É Bill que me deixa aflita (chora e grita sempre mais alto). Mas você, você nem liga! Você é um desalmado! Não tem nem nunca teve coração! Se Bill chegou ao ponto em que está hoje, a culpa é sua. Minha mãe sempre diz..." (ainda chorando).
>
> Bill (no papel de pai): "Ora, sua mãe! Só sabe chorar também! Meu Deus! Assim não é possível! Por que você tem que meter sua mãe no meio?" (bate a porta). (Moreno, 1975, p. 245)

SITUAÇÃO: ROBERT REPRESENTA A SI MESMO

O paciente é preparado por um membro da equipe. Diz-se a ele: "Retrate a você mesmo como atuou em qualquer situação recente que lhe parece significativa". Ele opta por representar como atuou em relação a seu pai três dias antes.

O diálogo foi registrado num gravador. Os gestos e movimentos que acompanharam o diálogo foram anotados por um membro da equipe, no decurso do procedimento (Moreno, 1975, p. 240-41).

GESTOS E MOVIMENTOS	DIÁLOGO
Caminha agitadamente de um lado para outro, do plano superior para o inferior do palco. Murmura algumas palavras desconexas. Em vez de começar representando, fala ao psiquiatra.	
	Não me recordo de coisa nenhuma. Não posso fazer isso.
Novamente instado a representar, procede a um aquecimento rudimentar, caminha com veemência até uma das colunas do palco, mas não pronuncia uma só palavra. Depois de uma pausa, começa a falar. Faz isso em forma de monólogo, apático.	
	Pai, não deveria precipitar-se, está correndo para a morte. Deveria esforçar-se por obter melhores relações com mamãe etc.
Para subitamente. Sai do palco com um gesto de embaraço.	

Uma variante da técnica de autoapresentação é o "autodrama": o cliente "representa, vive, 'é' cada um dos personagens, um de cada vez" e depois "ele se dá a réplica", desempenhando "todos os papéis necessários, mudando cada vez de posição. Ele é seu próprio ego auxiliar, às vezes, com a ajuda do terapeuta-psicodramatista" (Schützenberger, 1970, p. 122). Aqui temos o psicodrama bipessoal, mas também é um recurso aplicado na dramatização de alucinações, bem como quando o paciente tem dificuldade de contracenar com duas ou mais pessoas.

A técnica de autoapresentação é utilizada em entrevistas iniciais, em psicodrama individual ou bipessoal, ou psicodrama clássico (em grupo), no ingresso de um novo paciente no grupo, em psicodrama diagnóstico ou mesmo como aquecimento para uma cena a ser dramatizada a seguir.

Apresento um exemplo desta última utilização: em um grupo de psicoterapia psicodramática, a cliente J. se queixa de estar sempre roendo as unhas. A terapeuta (A.) convida-a a explorar a situação. J. aceita.

Após ter trocado com ela olhares e sorrisos, A. se levanta, aproxima-se dela, toma-a pela mão e leva-a ao palco do teatro psicodramático. Lá, sobre os degraus do estrado, de frente para o auditório, A. começa a fazer que ela faça uma "apresentação de si" (*self-presentation*): A. pergunta sua idade, sua situação etc. Ela é a terceira filha de uma família de quatro filhos: tem 42 anos, é casada há 19 e tem quatro filhos. Exerce a profissão de médica de família (clínica geral), mas também se especializou e fez uma "autoanálise" (conhece seus problemas). Pertence a uma família de um meio muito bom. "Desde quando você rói as unhas?", pergunta-lhe A. Ao que J. responde: "Vejamos... Lembro-me de que na véspera de meu casamento fui ao cabeleireiro e a manicure me disse: 'Senhorita, não sei o que fazer com as suas unhas... não posso alongá-las'". A. lhe pergunta: "E antes?" "Lembro-me quando ia aos jogos de inverno, tinha 12 anos, minha avó me disse: 'Se você parar de roer as unhas, pagarei para você os jogos de inverno'. Minha avó fez promessas, afagos, deu-me produtos para colocar nos dedos. Eu tentei, mas nada consegui. Mesmo assim, minha avó pagou-me os jogos de inverno". A.: "E antes ainda?" J.: "Sempre roí minhas unhas, sempre". A.: "Bom... escolha qualquer cena familiar do passado... Que idade você quer ter?" J.: "Oh! 7, 8 anos" [...]". (*Ibidem*, p. 190-91)

A descrição prossegue com a montagem e dramatização das cenas, que a levam aos 3 anos, quando nasce o irmão mais novo e ela é separada do mais velho, que vai para a casa da avó. A cama de J. é dada para o irmãozinho. Ela tenta sufocá-lo com um travesseiro, para que desapareça. A partir daí começa a roer as unhas!

Em atendimento psicoterapêutico individual, utilizo a autoapresentação (bem como a apresentação do átomo social) servindo-me de dois recursos: os bonecos flexíveis da família de ludo e o psicodrama interno.

No primeiro tipo de ação o cliente é solicitado a escolher os bonecos ou às vezes os fantoches que representam a si mesmo e os personagens participantes de sua autorrepresentação. Em seguida, ele toma o papel, como "se fosse" o boneco ou o fantoche escolhido, para representar o personagem, e, após personificar todos ou os mais significativos, faz a réplica "como se fosse" o próprio boneco que o representa. O protagonista associa ou não uma cena a ser dramatizada a seguir. As técnicas básicas do psicodrama são utilizadas nessa prática: duplo, solilóquio, espelho, tomada de papel e outras. Essa modalidade de autoapresentação é bastante produtiva, desde que, é claro, o aquecimento seja realizado em profundidade. Os clientes com dificuldades de exposição, medo de perder o controle emocional ou que têm dificuldade na tomada de papel têm respondido bem ao método.

Quanto à modalidade de autoapresentação com o recurso do psicodrama interno, ela segue percurso similar ao realizado no contexto dramático, com objetos ou almofadas, só que ocorre no campo das imagens do cliente. Aqui o método usado segue os passos descritos acima. Sua utilização supõe que o protagonista viaje no mundo de suas imagens, comunicando-as e vivendo as emoções emergentes. Da mesma forma que os demais tipos de autoapresentação, pode-se desenvolver em um jogo de papéis entre os personagens, ou se encaminhar para cenas significativas do paciente.

APRESENTAÇÃO DO ÁTOMO SOCIAL

A técnica da apresentação do átomo social é um tipo específico de autoapresentação. No entanto, a conceituação de átomo social está ligada à criação da sociometria (1932) por Moreno nos Estados Unidos e, em particular, à publicação do livro *Who shall survive?*, em 1934[1]. A "descoberta" do átomo social se inscreve no

---

1. Moreno usou o termo pela primeira vez em 1915 em uma carta ao Departamento do Interior do antigo Império Austro-Húngaro (cf. "Three points of reference for sociometric research". In: Moreno, J. L. *Sociometry, experimental method and the science of society*, p. 9). A edição espanhola, *Fundamentos de la sociometría*, vertida da edição francesa, não traz a tradução completa de *Who shall survive?* Além de partes deste livro (ed. 1934 e 1953), contém outros de *Psicodrama (Psychodrama I*, 1946) e de *Sociometry, experimental method and the science of society* (ed. 1951).

percurso moreniano, cujo enfoque, partindo do social amplo, migrou para o trabalho com o público, depois para o auditório, para as instituições, a seguir para os grupos e nos anos 1940 se centrou nos microgrupos (cf. Gurvitch, 1949, p. 14-16).

Portanto, para a apresentação dessa técnica, é necessária a definição de átomo social. Ele é um "conceito contextual que nasce da aplicação do teste sociométrico", tendo por base "a interpretação individual que a partir de um critério proposto cada membro deste grupo dá às suas relações com os demais". Assim, a noção elementar de átomo social para Moreno envolve "as relações afetivas de um indivíduo e qual sua situação no grupo", sendo "a mínima e indivisível partícula social que, diferentemente combinada e inter-relacionada com outros átomos, explica a sociedade" (Garrido Martín, 1984, p. 166-67). Nesse campo conceitual, a apresentação do cliente é feita a partir de um gráfico denominado sociograma individual. Sua pesquisa levará em conta a intensidade com que o indivíduo é aceito ou rejeitado, a expansividade (número de indivíduos com que se relaciona), o equilíbrio das escolhas e os estados afetivos consequentes, a dinamicidade do átomo social e as motivações presentes na escolha.

O conceito de átomo social para o trabalho psicodramático, para J. L. Moreno, apesar de noções divergentes que ele formula (Gurvitch, *op. cit.*), consagrou-se como "o núcleo de todos os indivíduos com quem uma pessoa está relacionada emocionalmente ou que ao mesmo tempo estão inter-relacionados com ele. É o núcleo mínimo de um padrão interpessoal emocionalmente acentuado no universo social. O átomo social alcança tão longe quanto a própria tele chega a outras pessoas. Portanto, também se lhe chama o alcance tele de um indivíduo" (Moreno, 1982, p. 239).

A conceituação da técnica de apresentação do átomo social pode agora ser feita: o paciente por si mesmo ou por solicitação do terapeuta apresenta dramaticamente as pessoas que lhe são de fato emocionalmente significativas. Estas podem ser próximas ou distantes, mortas ou vivas, do presente, do passado e até mesmo personagens imaginadas do futuro. Como descreve Moreno (1966, p. 347):

> Representa-se a si mesmo e a todos os membros do seu meio imediato do seu átomo social. Procura mostrar como atua em situações decisivas diante deles e como eles atuam nessas situações em relação a ele. Então, tenta mostrar como atua em situações-chave. Procura reviver estas situações tão fielmente quanto possível. [...] Apresenta-se a si mesmo de uma forma unilateral e subjetiva e apresenta diversas pessoas de seu meio, unilateral e subjetivamente, e não como elas são. Representa seu pai, sua mãe, seu irmão, sua esposa e qualquer outro membro do seu átomo social, com todo tendencionismo subjetivo. Representa e revive as correntes emocionais que enchem o átomo social. Os equilíbrios e desequilíbrios, dentro do átomo social, podem encontrar, assim, uma catarse no seu psicodrama.

Em se tratando de um teste sociométrico, o cliente se apresenta inicialmente por seu sociograma (gráfico em que estão representadas de acordo com determinado critério suas relações com diferentes membros de um grupo) (Moreno, 1972).

Os procedimentos para essa técnica são similares aos da autoapresentação. Desse modo, o paciente é convidado a desempenhar os papéis dos personagens de seu átomo social e seu papel em relação a eles. Como os participantes do teste estão presentes, pode ocorrer uma comparação entre os desempenhos realizados pelo protagonista nos papéis dos personagens e o desempenho dos próprios em seus papéis. A partir dessa exploração inicial, é possível dramatizar cenas do protagonista ou trabalhar sociodramaticamente com as relações entre os membros do grupo. Os recursos técnicos são os próprios desse tipo de trabalho, condicionados pela situação enfocada, dinâmica psicológica do(s) paciente(s), vinculação do cliente com o diretor, fase de psicoterapia ou ação sociodramática.

No caso de intervenção institucional e/ou ação psicodramática, além de apresentações de átomos sociais, pode-se trabalhar com o átomo sociocultural que opera com "a posição sociocultural que uma pessoa ocupa, não por ser tal pessoa, mas pelo seu *status* ou pelo papel que desempenha" (Garrido Martín, 1984, p. 169). A apresentação do átomo social envolve um conjunto rico de elementos que podem ser avaliados na compreensão do protagonista. Moreno (1966, p. 347) nos guia nesse caminho: o átomo social é uma

> configuração social das relações interpessoais que se desenvolvem a partir do nascimento. Na sua origem compreende a mãe e o filho. Com o passar do tempo vai aumentando em amplitude com todas as pessoas que entram no círculo da criança e que lhe são agradáveis ou desagradáveis e aqueles que reciprocamente a têm como agradável ou desagradável. [...] Daí se vê que o átomo social tem uma telestrutura característica e uma constelação em permanente mudança.

Ora, na apresentação do átomo social se coloca "manifesto o eu do paciente na relação com seus companheiros", diria eu personagens e, portanto, também se revela uma "imagem de si mesmo". Então, a função diagnóstica dessa técnica é grande: espontaneidade e criatividade ou não no desempenho dos papéis, capacidade para assumir e desempenhar papéis (dificuldades, resistências): a imagem que mostra e que aparece nas falas e ações dos personagens e como ele se vê. Moreno lembra que "a distância entre o que é e como atua, por uma parte, e o que pensa de si, de outra parte, pode tornar-se cada vez maior" (*ibidem*, p. 346).

O criador do psicodrama, ao abordar a "terapia psicodramática de choque" para a crise psicótica, afirma que, "enquanto subsistem elementos não integrados do indivíduo ou que não sejam acessíveis ao controle espontâneo dentro de seu átomo social, seu equilíbrio pode ser de novo transtornado por circunstâncias externas ou internas similares (ao anterior)", configurando a importância do trabalho psicoterápico no sentido de promover um retorno à realidade habitual tanto do psiquismo quanto das telerrelações que constituem a trama de seu átomo social (*ibidem*, p. 348). Moreno privilegia a intervenção no átomo social do paciente com a participação não só dos egos auxiliares, mas das pessoas reais desse átomo.

Mostro um exemplo do uso da técnica de apresentação do átomo social transcrito de Moreno (1982, p. 242-43).

SITUAÇÃO: ROBERT REPRESENTA SEU PAI

O paciente é preparado por um membro da equipe. Diz-se a ele: "Retrate o seu pai. Sinta-se na pele dele e mostre-nos como é seu pai. Retrate-o em qualquer situação que lhe pareça ser crucial e característica dele. Escolha uma situação que tenha realmente acontecido o mais recentemente possível. Mostre-o como ele atua em relação à sua mãe, sua irmã, sua esposa, você mesmo ou qualquer outra pessoa significativa". Robert começa mostrando como seu pai atua em relação à sua mãe.

PROCESSO

GESTOS E MOVIMENTOS	DIÁLOGO
Aquecimento fácil. Atua prontamente. Os atos são curtos, com cerca de meio minuto de duração. As cenas estão repletas de frases curtas. Às vezes, interrompe uma cena bruscamente e esboça uma nova que acabou de acudir-lhe à mente e que lhe parece mais característica. Quando termina o esboço, não relaxa – pelo contrário, movimenta-se incansavelmente e, assim que tem uma ideia, toma posição. Às vezes, para e diz:	
	"Não era assim. Vou fazê-lo de novo. Agora tenho algo que é característico dele."
Depois das palavras (representando o papel de pai): "Tenho de representar o pai", diz para fora da cena. "Esse não é o meu pai, sou eu." Começa, então, de novo. Robert volta ao palco e representa a seguinte cena:	

TÉCNICAS FUNDAMENTAIS DO PSICODRAMA

	"O jantar está pronto? Não? Se chego em casa às sete, não está pronto, se venho à meia-noite, tampouco está; nesta casa nunca está preparada uma refeição. (É servida a refeição.) Não posso comer. Tenho de dar um telefonema. 'Alô! É o senhor S? Espere por mim no saguão. Estarei aí dentro de poucos minutos.' (Começa a comer e interrompe-se. Dá outro telefonema.) 'Vou já para aí. Trata-se de negócios. Terei de ir correndo.' (Deixa a comida e sai às pressas.) Que corrente de ar há nesta sala. Mas que casa! Feche as janelas. Sinto o vento nas minhas costas. Eu também vivo aqui, não só você. (Apanha o chapéu e sai precipitadamente.)"
Depois da frase "Feche as janelas", deixa de representar seu pai e diz: "Sou eu outra vez, não o meu pai".	
	"De quanto dinheiro precisa? Sempre dinheiro. Não há dúvidas de que sabe gastá-lo. Não posso dar US$ 75. Isso não ganho por semana. Não grite comigo. Não darei nenhum centavo. Vou-me embora e não voltarei. O quê? Muito bem. O mais que posso dar são US$ 25; onde está o meu talão de cheques? (Robert mostra como seu pai anda de uma sala para outra procurando seu talão de cheques, até encontrá-lo. Começa a preencher um cheque. Comete um erro na data. Rasga o cheque. Apanha outro, mas comete um erro na quantia. Preenche um terceiro cheque. Erra na assinatura. Rasga-o.) Oh, não consigo preenchê-lo, Robert! Onde está você? Preencha um cheque para mim. Eu tenho de sair. (Sai apressado.)"

PROCESSO

GESTOS E MOVIMENTOS	DIÁLOGO
Aquecimento eficaz. Não com tanta facilidade como no papel de pai, nem tão fluente na escolha de situações.	

	"Quem levou a cadeira para a janela? Quem tirou o cinzeiro do seu lugar? Acabei de colocá-lo aqui. Você sabe que não posso suportar isso."
Robert detém-se e não continua. Diz para fora da cena: "Oh, isso sou eu, não minha mãe. Ela atua do mesmo jeito que eu... Agora estou me misturando com ela".	

Assim como na técnica de autoapresentação, faço uso da técnica de apresentação do átomo social servindo-me de dois recursos: os bonecos flexíveis ou fantoches e o psicodrama interno. Os procedimentos estão descritos no item anterior.

A apresentação do átomo social aplicado à psicoterapia psicodramática familiar tem sido de grande utilidade. Os membros da família são convidados pelo terapeuta a fazer o átomo familiar utilizando objetos ou representação desenhada, revelando as redes sociométricas presentes.

A seguir, o material é trabalhado por várias sessões, seja com desempenho de papéis ou dramatização de cenas. As técnicas e os recursos usados são bastante variados. Tenho conseguido um diagnóstico facilitador para a intervenção terapêutica na estrutura vincular.

SOLILÓQUIO

Essa técnica se apoia no "aparte" dos atores do teatro clássico. Moreno apresenta-a, em sua especificidade própria do teatro terapêutico, nos trabalhos realizados nos Estados Unidos, provavelmente após 1938. Naquele ano, ele "passa da versão *in situ* do psicodrama à sua 'versão clássica', centrada no grupo ou no indivíduo, levando em conta o grupo e o 'aqui e agora'" (Schützenberger, 1970, p. 212).

Para entendermos o contexto em que se dá a criação dessa técnica, acompanhemos o autor, que enfoca a importância para a terapia interpessoal dos "sentimentos e pensamentos não expressos que duas pessoas ligadas numa situação vital íntima têm entre si", cujas revelações pela intervenção do ego auxiliar "completam a imagem do outro em ambas as mentes". A introvisão que uma pessoa tem sobre o que se passa na mente de outra pessoa é, na melhor das hipóteses, esquemática; a psique não é transparente, "o psicodrama total de nossas inter-relações não emerge: está enterrado em e entre nós". A prática do psicodrama "teve de desenvolver inúmeras técnicas para dar expressão aos níveis mais profundos do nosso mundo interpessoal" (Moreno, 1982, p. 245). Moreno desenvolve, então, apoiado nos usos dos dramaturgos, sobretudo Eugene O'Neill[2], a técnica do solilóquio.

Portanto, esse recurso é utilizado inicialmente nas terapias vinculares quando o outro participante da relação está contracenando com aquele que fez o solilóquio. Ambos atuam como egos auxiliares um do outro. No entanto, Moreno também se serve dessa técnica quando o parceiro está presente no auditório ou mesmo quando se trata de uma "situação fictícia" e o ator/autor faz solilóquios sobre seu desempenho no papel[3].

Sobre sua utilização, caracterização e objetivo, diz Moreno (1982, p. 245): "É usada pelo paciente para duplicar sentimentos e pensamentos ocultos que ele teve, realmente, numa situação com um parceiro em sua vida, ou que tem aqui e agora, no momento do desempenho. O seu valor (do solilóquio) reside em sua veracidade. O seu propósito é a catarse".

Seguindo as criações e aplicações originais morenianas, faz-se uma distinção entre aparte, monólogo e solilóquio terapêutico.

---

2. Eugene Gladstone O'Neill (1888-1953), dramaturgo norte-americano, Prêmio Nobel de Literatura em 1936.

3. Moreno trabalhava com teatro terapêutico em atos semanais, estando frequentemente presentes parceiros, que eram chamados para contracenar.

A técnica do aparte é de uso frequente no teatro: o ator faz comentários para o público ou expressa aquilo que no papel não diz de modo direto. Aplicado ao psicodrama, esse recurso é utilizado durante a dramatização, propondo-se ao protagonista que ele verbalize o que sente de fato e não está sendo expresso na ação. Assim, o paciente "formula seus pensamentos e sentimentos em voz alta, mas virando a cabeça de lado para dissociar bem o que ele diz na ação e o que ele 'pensa em voz alta'. [...] Em princípio, o interlocutor 'não ouve' o que é dito no aparte e não o leva em conta, mas percebe-o de fato, e a representação ressente-se disso". Tanto o protagonista como os egos auxiliares podem usar o aparte durante a dramatização. O aparte pode ser feito em relação à situação quando o protagonista exprime sua situação de ator diante do grupo ("Estou com medo de me mostrar na presença de fulano ou sicrano"). Ou só no desempenho do papel na cena dramática, quando o protagonista exprime o que sente ("Tenho raiva de meu pai quando me ignora, mas não consigo lhe dizer") (Schützenberger, 1970, p. 110).

As observações de Moreno (1982, p. 265) sobre o solilóquio em situações fictícias podem ser aplicadas ao aparte:

> Um sujeito espontâneo que esteja inteiramente absorvido no seu papel não pode recorrer ao solilóquio a respeito de si mesmo ou a respeito do papel. É com aquela parte de seu ego que não é arrastado para o papel, hipnotizado por ele, que o sujeito pode usar o solilóquio. Quanto mais fraca fica a absorção do papel pelo ego, mais frequentemente poderá o ego usar o solilóquio.

Obviamente, trata-se do uso espontâneo da cena pelo protagonista desses recursos, mas, de qualquer modo, marca que o pedido de solilóquio pelo diretor pode, nessas situações, afastar o protagonista do papel desempenhado.

O monólogo, chamado de técnica do solilóquio, é conceituado como um monólogo do protagonista *in situ*. "O diretor do psicodrama aconselha-o a utilizar o solilóquio, a dizer em voz

Técnicas fundamentais do psicodrama

alta, enquanto vai andando, aquilo que pensa e experimenta nesse momento, aqui e agora. O paciente utiliza o grande degrau circular do nível inferior do palco psicodramático" (Moreno, 1975, p. 22). Aqui temos o solilóquio mais próximo ao que é utilizado normalmente nas práticas psicodramáticas no Brasil: só que ele é usado no papel, em cena, durante a ação dramática, não havendo espaço determinado para sua realização. Originalmente a técnica do solilóquio era aplicada em seguida ao diálogo apresentado pelo protagonista: o diretor pedia-lhe para expressar em voz alta o que sentira. É importante assinalar que o paciente monologa sozinho ou com a ajuda de um "duplo" que o acompanha, andando junto com ele, a seu lado, ou atrás, falando com ele e por ele. "Às vezes o solilóquio é constituído e concluído por um *diálogo do protagonista com seu duplo* [...] cada um interrogando-se a si mesmo e o protagonista falando ao *duplo* como a um outro ele mesmo" (Schützenberger, 1970, p. 131). Uma variante do monólogo (técnica do solilóquio) é a chamada autoterapia, em que o cliente representa sozinho, falando e expressando sentimentos, as ações presentes na cena, sem a intervenção do terapeuta. Aproxima-se da autoapresentação, visto que ele desempenha também os personagens de todos os que participam da ação (*ibidem*, p. 122). No monólogo, como vimos, o protagonista está só, interrompe a ação normal, e a pedido do diretor interpreta, geralmente andando e às vezes assistido pelo seu "duplo", frequentemente após uma dramatização ou um diálogo. Esse recurso é às vezes denominado "solilóquio monologado" (*ibidem*, p. 181).

O solilóquio terapêutico se conceitua como "técnica análoga ao aparte teatral". "O sujeito exprime os seus pensamentos e sentimentos secretos, mediante diálogos e ações à parte; essas reações latentes e privadas do protagonista diante de seu papel são feitas ao mesmo tempo, paralelamente, com a expressão de seus pensamentos e de suas ações patentes e manifestas" (Moreno, 1975, p. 22-23). Moreno (1982, p. 262-63) acentua que os apartes e os diálogos operam dentro do sujeito. Estão em dimensões diferentes, mas pertencem à mesma pessoa. Pertencem à mesma cena que ambas as dimensões retratam. A parte "aberta" reproduz os processos físicos e mentais que tinham ocorrido, realmente, na situação original. A parte do solilóquio representa os processos corporais e mentais da pessoa naquele tempo que não revelou ao seu parceiro. É uma ampliação do eu através de uma técnica psicodramática, e esses processos mentais secretos fluem para a pessoa a quem deveriam ter sido originalmente comunicados. É aqui que invertem o efeito terapêutico.

Desse modo, o solilóquio terapêutico auxilia o paciente a perceber a distância entre suas percepções e os acontecimentos ocorridos, em uma relação interpessoal. E uma terapia interpessoal "permite ao paciente e a seu companheiro de vida que se aproximem, compartilhem as experiências que temiam exprimir ou que não tinham conseguido perceber em todos os seus aspectos".

O exemplo seguinte ilustra essa situação de maneira concreta:

O paciente e sua mulher encontram-se, ambos, presentes. Representam a cena que, segundo ele, o levou a pedi-la em casamento, há dois anos.

Estão num barco; ele segura uma vara de pesca, enquanto ela coloca isca no anzol. O rosto do homem exprime uma beatitude total: sem dúvida está feliz. Mas não pode ver a expressão do rosto da companheira, pois ela está sentada na outra extremidade do barco, com as costas parcialmente voltadas para ele, com semblante infeliz e miserável.

O paciente inspira profundamente e diz em voz alta: "Ah! Que dia maravilhoso! Que sorte, hein, Marlene, um dia tão bonito assim para o nosso passeio?!"

Marlene responde, de forma a não se envolver: "Hum, hum".

O diretor do psicodrama, a esta altura, aconselha cada um deles a fazer um solilóquio.

O paciente: "Estou tão contente por ter me lembrado de trazê-la para esta pescaria! É bom para nós fazermos coisas juntos, compartilhar as coisas de que gostamos. Será que hoje de tarde vou ter coragem de pedi-la em casamento? De fato eu gosto dela e, afinal, a gente se entende tão bem. Temos

Técnicas fundamentais do psicodrama

as mesmas metas na vida, os mesmos gostos e os mesmos interesses. Espero que ela responda que sim. Agora seria o momento adequado para lhe perguntar, depois de um dia tão belo, tão tranquilo, tão sereno e agradável". Marlene (explodindo): "Meu Deus! Que trabalho chato ele me arrumou! Imagine a sua audácia me obrigando a fazer isto!"
Ouvindo essas palavras, às quais não tem direito de responder no solilóquio, o paciente levanta os olhos aturdido, abandona o papel e exclama: "Santo Deus! Se eu soubesse que ela via as coisas dessa maneira, nunca teria tido a coragem de pedi-la em casamento naquela tarde!" (Moreno, 1975, p. 23)

Moreno mostra o uso da técnica do solilóquio em diversos protocolos. Na terapia interpessoal (casal) de Robert e Mary, ele destaca que, "através da técnica do solilóquio, a experiência de toda situação foi muito mais clara do que no momento de sua ocorrência. Aqui, marido e mulher tornaram-se familiarizados com os seus *eus* interiores de um modo mais íntimo. O solilóquio proporcionou-lhes uma nova dimensão psicológica" (Moreno, 1982, p. 249). O autor a utiliza em um trabalho com sonhos, e o próprio cliente se serve dela quando da dramatização de uma cena "fictícia", para falar em aparte de suas dificuldades no papel diante da esposa com quem ele contracena (ela também usa o solilóquio dessa forma) e do terapeuta (*ibidem*, p. 254 e 262-65). Ao comentar esta última utilização espontânea pelo casal, Moreno (*ibidem*, p. 266) observa que

a frequência do solilóquio é aqui uma prova de intensidade do papel. Quanto mais amiúde o papel for interrompido, mais frágil será sua unidade. Vemos o paciente interromper muitas vezes o fluxo de associações. Então a fisionomia e o corpo afastam-se da expressão que o papel exige. [...] As interrupções podem provir dele mesmo ou de seu parceiro no ato. A essas interrupções chamamos resistência.

Daí o autor dizer que os solilóquios em aparte, realizados espontaneamente pelo cliente, não operam como ampliações, mas são resistências ao desenvolvimento de um papel na cena.

Apresento a seguir um trecho do protocolo em que o uso do solilóquio está combinado com o uso do duplo (Moreno e Enneis, 1984, p. 39):

Jim (terapeuta): "Faça solilóquio do que você pensa! Faça solilóquio do que você pensa!"

Susan (cliente): "Estava simplesmente com medo. Não vejo de que jeito um dia ia poder ter filhos. Tinha uma imagem de uma pera. Não entendo como é que consegui sair (do útero da mãe). Gostaria de falar com ela (mãe) sobre isso, mas ela acha só que sou burra. Não entendo como é que consegui sair, mas o fato é que saí.

Jim: "Vou te dar um duplo para te ajudar a fazer solilóquio. Aqui está seu duplo. Você e Susan número um, e você e Susan número dois".

Duplo: "Uma menina como eu. Como é que poderia ter filho um dia?"

Susan: "Sou magrinha. Não tenho um corpo como o das outras moças. Começo a achar que sou um rapaz que perdeu o pênis".

Duplo: "Tenho certeza de que existe algo errado comigo".

Susan: "Quanto mais eu como, mais magra fico. Pareço uma mosca. Sou tão magra que poderia morrer e sou tão tímida que provavelmente nunca vou ter uma chance".

Duplo: "Ninguém me ama. Simplesmente não posso aguentar toda aquela dor. A mãe sempre gostou mais de minha irmã Nattie. Ela acha que sou fraca demais. Eu tinha 16 anos. E nem sequer sabia o que era o mundo. Eu não sabia o que havia acontecido". (A dramatização prossegue...)

A técnica do solilóquio, apesar de enfocar o cliente voltado para ele mesmo, pode, conforme Moreno, sofrer a intervenção do terapeuta durante sua utilização, para mediar o conteúdo do solilóquio com a atuação do paciente. O autor assinala que cabe ao diretor analisar o solilóquio do cliente, ajudando-o a clarear a vivência realizada e facilitando que o significado psicológico do solilóquio seja compreendido.

Como percebemos, a técnica do solilóquio é relativamente simples e frequentemente usada. Entre nós, a modalidade mais

Técnicas fundamentais do psicodrama

divulgada é aquela em que o protagonista, no seu papel ou no de outrem, durante a dramatização ou no aquecimento para o desempenho de determinado papel, manifesta, a pedido do terapeuta, em voz alta, seus sentimentos, sensações, emoções e pensamentos ocultos. A expressão dos conteúdos do "mundo interno" do paciente muitas vezes oferece uma abertura para penetrar nos conflitos latentes do protagonista.

A aplicação do solilóquio é bastante variada, sendo indicada para que o protagonista assuma o papel que desempenha, tornando-se ciente do seu "interior". Desse modo, é também técnica não só de aquecimento para o papel, mas recurso importante para ajudar a manter o cliente vinculado com o personagem que desempenha, ou sintônico consigo mesmo. A privacidade do solilóquio (ninguém ouve) deve ser respeitada, evitando-se o uso de seu conteúdo de modo direto e imediato no diálogo ou na cena dramatizada. Trata-se de um momento do paciente com ele mesmo. Por vezes, combina-se o solilóquio com a entrevista do paciente no papel pelo terapeuta.

CONCRETIZAÇÃO

Essa técnica não pertence à criação original moreniana, ainda que "Moreno relate o diálogo que um protagonista tem com uma corda, com a qual foi amarrado quando tinha 8 anos. A corda foi representada pelo ego auxiliar" (Gonçalves, Wolff e Almeida, 1988, p. 91). Assim, o que era verbalmente simbolizado tem seu conteúdo manifesto, isto é, concretizado. Ela abrange a representação de objetos inanimados, partes do corpo e entidades abstratas (vínculo, emoção, conflito) com a utilização de imagens, movimentos, tomada de papel, solilóquios e duplos feita pelo paciente. A materialização, por exemplo, do vínculo conflitivo por meio da representação pelo corpo do protagonista permite que se concentrem as sensações e as emoções presentes na relação, de modo a torná-las visíveis para o cliente, para os terapeutas e para o grupo.

A concretização é utilizada, frequentemente, para o encadeamento de cenas. Por exemplo, recorre-se à corporificação pelo cliente de uma emoção. A pedido do terapeuta, no papel da emoção o paciente expõe uma situação vivida que apresenta uma articulação (ou sobredeterminação) com a cena inicial. Assim, o conflito subjacente pode ser dramatizado.

Quando o paciente se queixa de um sintoma físico ou mostra sinais de angústia, ou ansiedade, com o recurso da concretização pode-se começar o trabalho dramático, abrindo-se a investigação de cenas "ocultas" que subjazem ao elemento concretizado, que as expressa na sua dimensão conflitiva.

Essa técnica, "importante para acelerar uma catarse de integração [...], é difícil, pois é necessário que se faça uma materialização a mais aproximada possível do afeto contido" (Bustos, 1975, p. 117).

A materialização dos objetos inanimados é um recurso útil para que em dada cena aspectos latentes venham à tona. Assim, ao dramatizar uma cena de um cliente em que ele discute com seu pai porque este não o deixa ir com os amigos a uma festa, peço que o paciente tome o lugar de um relógio antigo da sala (que ele havia colocado na cena). Quando ele mostra com seu corpo e fala como relógio, exibe um conflito subjacente: desde pequeno o pai tinha medo de perdê-lo, pois "ele-relógio" descreve a perda por atropelamento de um irmão do pai, quando este era adolescente, por descuido do avô que não o proibiu de sair. Os temores do pai o tornaram excessivamente controlador com o filho.

Às vezes, a existência em uma situação dramática de um objeto inanimado permite que o protagonista o materialize e faça um "espelho" da cena, oferecendo chaves para o conflito ali vivido, ao observá-la a partir do papel do objeto.

Técnicas fundamentais do psicodrama

CONSIDERAÇÕES FINAIS

Por último, o confronto, que é a técnica de base sociométrica, não é encontrado nos protocolos de Moreno. Ele é resultado da aplicação de um teste sociométrico em um grupo. Participantes que tiveram uma relação incongruente (não télica) são chamados a se colocar frente a frente para conversar e manifestar seus sentimentos, pensamentos e emoções referentes ao outro. O trabalho, como realizo, segue adiante com a utilização de recursos psicodramáticos próprios de uma "terapia vincular". A confrontação falada pode funcionar como ampliadora de consciência, desde que os envolvidos tenham abertura para ouvir o outro. No entanto, esse procedimento tem pouca eficácia, visto que ambos estão ali normalmente porque não conseguem perceber as razões de suas transferências. Há o risco, também, de o confronto se transformar em medição de força, se não forem explicitadas as redes sociométricas que agem pró ou contra e por meio dos participantes em confronto.

Portanto, essa técnica é aplicada quando temos as duas pessoas participando de um mesmo grupo, aqui e agora. O objetivo é clarear o vínculo e possibilitar um relacionamento o mais télico possível entre elas.

Uma modalidade de confronto foi durante certo tempo desenvolvida entre nós: a do terapeuta com o cliente, quando essa relação apresentava problemas a ser tratados pessoa a pessoa. Tal procedimento está distorcido pela suposição de que o terapeuta pode se despir de seu papel para si e para o cliente, e minimizar desse modo os conteúdos transferenciais inerentes ao vínculo terapêutico.

A técnica do confronto pode ser utilizada em terapias vinculares, como casal, família, pai e filho, favorecendo o conhecimento e a percepção dos envolvidos. Os recursos psicodramáticos são usados pelo diretor para tornar manifestos os conteúdos do "mundo interno" de cada um. Para que tal procedimento seja produtivo, os parceiros têm de poder ser egos auxiliares um do outro: contracenando com o par e/ou com a possibilidade de se colocar, pelo menos parcialmente, no lugar do outro. Caso contrário, existe o risco de repetir os "bate-bocas" e discussões frequentes no dia a dia do par.

BIBLIOGRAFIA

AGUIAR, M. *Teatro da anarquia: um resgate do psicodrama*. Campinas: Papirus, 1988.

BUSTOS, D. M. *El psicodrama. Aplicaciones de la técnica psicodramática*. Buenos Aires: Plus Ultra, 1974.

_____. *Psicoterapia psicodramática*. Buenos Aires: Paidós, 1975.

GARRIDO MARTÍN, E. *Moreno: psicologia do encontro*. São Paulo: Duas Cidades, 1984.

GONÇALVES SANTOS, A. "Psicodrama". *Psiché: quatro abordagens em psicoterapia*. Conselho Regional de Psicoterapia, 6ª região, 1991a.

_____. *O referencial sociométrico em psicodrama grupal e individual*. IV Encontro Internacional de Psicodrama, São Paulo, 1991b (mesa-redonda).

GONÇALVES, C. S.; WOLFF, J. R.; ALMEIDA, W. C. de. *Lições de psicodrama*. São Paulo: Ágora, 1988.

GURVITCH, G. "Microsociology and sociometry". *Sociometry*, v. 12, fev.-ago. 1949.

MORENO, J. L. *Sociometry, experimental method and the science of society*. Nova York: Beacon House, 1951.

_____. *Psicoterapia de grupo y psicodrama*. Cidade do México: Fondo de Cultura Económica, 1966.

_____. *Fundamentos de la sociometría*. Buenos Aires: Paidós, 1972.

_____. *Psicodrama*. São Paulo: Cultrix, 1982.

MORENO, J. L.; ENNEIS, J. M. *Hipnodrama e psicodrama*. São Paulo: Summus, 1984.

MORENO, Z. T. *Psicodrama de crianças*. Petrópolis: Vozes, 1975.

SCHÜTZENBERGER, A. A. *O teatro da vida: psicodrama*. São Paulo: Duas Cidades, 1970.

_____. *Introdução à dramatização*. Belo Horizonte: Interlivros, 1978.

PARTE V

12. Psicomúsica

Martha Figueiredo Valongo

INTRODUÇÃO

Moreno propôs um trabalho que pudesse devolver aos músicos a espontaneidade e às pessoas comuns o acesso à música. Chamou essa técnica de psicomúsica. Realizou esse mesmo esforço para a "devolução do drama ao indivíduo como agente criador", o que denominou psicodrama. Sua contribuição específica no campo da psicomúsica foi pequena, porém abriu caminhos significativos do ponto de vista da compreensão do ato criador e do processo de criação.

Na sessão VII do livro *Psicodrama* (1972) estão condensadas a reflexão e a prática morenianas a respeito da técnica. A leitura desse texto é fundamental para a compreensão do pensamento de Moreno. Vou pontuar alguns aspectos do texto:

1. A constatação de que a música espontânea que existe em todos nós foi sufocada pela música profissional.
2. A necessidade de se voltar a formas mais primitivas de produção musical.
3. A importância de se considerar o próprio corpo o instrumento mais importante na vivência musical, fato este preterido pela criação de instrumentos musicais altamente sofisticados, que trouxeram grandes avanços, mas desencorajaram a forma primeira de espontaneidade musical.
4. Classificação de duas formas de psicomúsica:

Técnicas fundamentais do psicodrama

- *forma orgânica:* o instrumento é o próprio organismo;
- *forma instrumental:* são usados outros instrumentos como funções e extensões da espontaneidade do próprio organismo do indivíduo.

5. Considera a improvisação uma técnica possível para aperfeiçoar a capacidade de criação espontânea.
6. Proposta de trabalho para o grande público com egos auxiliares.
7. Diagnóstico e proposta de processo terapêutico psicomusical para o que chamou de neurose de desempenho (a dificuldade do músico profissional de atuar em público).

Moreno se refere à psicomúsica em outras passagens de sua obra, porém não acrescenta maiores contribuições. A meu ver, o texto citado é o mais importante.

A história musical de hoje é bem diferente daquela da época em que Moreno propôs seu método; ele foi pioneiro e extremamente corajoso. Não havia ainda a revolução dos Beatles, que reabilitaram o poder da canção. Esse fato permite a muitos a criação de suas melodias, principalmente aos jovens. A opressão ainda existe, porém quem sofre mais são os mais talentosos, que para vencer se submetem à política de editoras e empresários. No plano educacional e nas escolas de música, buscam-se alternativas, porém é no campo terapêutico que existem experiências mais humanizantes.

OUTRA PROPOSTA METODOLÓGICA

A partir da concepção original de Moreno, desenvolvi uma metodologia que nos permite procurar novos caminhos para a resolução de conflitos e bloqueios nas nossas vivências com a música. O caminho mais seguro é a criação de sua própria música. Defino, pois, psicomúsica como o processo espontâneo de criação musical de uma pessoa, um grupo, uma cultura. A música é o resultado. Exemplifico algumas situações de conflito:

1. *você* que estudou muitos anos e não consegue tocar;
2. *você* que sempre quis aprender música e não conseguiu;
3. *você* que toca, mas não consegue compor;
4. *você* que sente insatisfação com seu processo musical;
5. *você* que toca, mas se sente inibido em público;
6. *você* que se considera sem ouvido ou sem talento;
7. *você* que ama a música e quer vivenciá-la etc.

Grifo a palavra *você* porque a música é um processo profundamente pessoal. Daí o caminho mais seguro ser *a criação de sua própria música*. A música espontânea, fruto da criação individual, espelha o espírito da pessoa, de um grupo ou de uma cultura. Nós trabalhamos com o processo. No processo estão envolvidos conflitos intrapsíquicos de grande complexidade, pois *a música espelha o pessoal, o social, o espiritual, o sagrado*.

Didaticamente, estruturamos o processo do trabalho psicomusical em dois momentos:

Primeiro momento: aquecer, desbloquear, fazer emergir a música espontânea.

Segundo momento: trabalhar psicodramaticamente a realidade que a música espontânea "criada" revela.

PRIMEIRO MOMENTO

É o primeiro contato com o grupo ou com a pessoa. É um momento muito delicado. O terapeuta ou educador precisa ter interiorizada uma postura de crença na possibilidade de criação musical do outro e de si próprio, isto é, já ter experimentado essa forma de criação.

Inicia-se o trabalho com um "contrato", com que se esclarece:

1. a proposta do trabalho;
2. a definição dos papéis das pessoas envolvidas;

TÉCNICAS FUNDAMENTAIS DO PSICODRAMA

3. a estrutura concreta (preço, horário, materiais necessários, utilização do local).

Passa-se ao *aquecimento*. O aquecimento é fundamental. Consiste na passagem de um estado de consciência para outro, em que o grupo, ou pessoa, fica centrado em si mesmo, mergulhado no seu universo sensível. Muitas são as formas de aquecimento. Para concretizar, vou descrever uma proposta. Inicie o trabalho a partir do ritmo. Coloque uma música só com instrumentos de percussão, música primitiva. Depois que o grupo a ouviu por uns instantes, peça que deixe o corpo responder aos estímulos rítmicos. Não tenha pressa se o grupo não responder logo; essa proposta é apenas uma forma de criar um clima propício. É o mesmo que subir no palco, o ambiente externo e interno vai se modificando. Terminada a música, peça ao grupo que comece a percutir com as mãos e os pés no chão e no próprio corpo a partir de uma simples pulsação – por exemplo, imitando as batidas cardíacas. Aos poucos, o grupo chega a um ritmo comum. Introduza neste momento variações rítmicas; enquanto uns sustentam a pulsação grupal, os outros tentam quebrar a estrutura rítmica; inverta os papéis.

Depois de criar um clima lúdico, coloque a melodia. Peça que cada um escolha um som, uma vogal, por exemplo, e, continuando a batucar, brinque também com esse som. Acompanhando sempre o crescimento e a soltura do grupo, dê outras consignas, vá ampliando as possibilidades sonoras: vários sons, sons de várias alturas (graves, agudos), sons em vários timbres (gutural, nasal), mudando de intensidade (fraco, forte), explorando a expressão (medo, coragem, amor, ódio, dor, ternura), mudando de andamento (lento, rápido). O diretor vai estabelecendo uma interação musical com o grupo, e por meio de consignas pesquisa a espontaneidade grupal. Aos poucos se delineia um tema que protagonizava o momento. A partir dessa etapa, o diretor trabalha com o tema (o protagonista musical do grupo). Chamo essa fase de *dramatização musical.* O diretor traz o tema para o centro. Marca sua forma de expressão. Todos cantam, cada um a seu modo. Trabalha-se com harmonia, colocam-se outras vozes. Depois, faz--se arranjo com vozes e instrumentos de percussão ou outros instrumentos, se alguém sabe tocar ou simplesmente explorá-los. Todo trabalho é feito com a ajuda do gravador. Nesse processo, unem-se a ação e a reflexão. É neste estágio do processo que passamos para o segundo momento, ou termina aí o trabalho.

ESQUEMA DO PRIMEIRO MOMENTO

1. Trabalha-se com o ritmo:
   - pulsação simples
   - variações rítmicas
   - inversão de papéis
2. Trabalha-se com a melodia:
   - um só som
   - altura
   - timbre
   - intensidade
   - andamento
   - expressão
3. Trabalha-se com a harmonia:
   - canto conjunto (uma só voz)
   - colocam-se outras vozes
4. Trabalha-se com arranjo:
   - vozes com instrumento de percussão
   - vozes com outros instrumentos
   - improvisação
5. Criação de instrumentos

Pode-se conduzir o grupo a partir de qualquer sequência – por exemplo, o começo pode ser pela melodia. É importante gravar, porque assim fica registrado o momento espontâneo, o que permite um trabalho mais estruturado, capaz de desenvolver e disciplinar as possibilidades de integração ação-reflexão, e enriquecedor do processo criativo.

SEGUNDO MOMENTO

Pede-se ao grupo que perceba as cenas reais ou fantasiosas que o tema evoca. Escolhe-se a cena que mais envolve o grupo e passa-se para a dramatização. A partir das cenas, busca-se diagnosticar o conflito. Desenvolve-se o trabalho em cenas consecutivas na procura de uma solução dramática. Feita a dramatização, passa-se ao *sharing*, ou seja, compartilhar as emoções, percepções e *insights* experienciais. Volta-se ao grupo, faz-se alongamento, relaxa-se ao som de uma música de preferência do período clássico (Mozart, Haydn), pois é preciso equilibrar o organismo para voltar ao cotidiano.

ESQUEMA DO SEGUNDO MOMENTO
1. Pesquisa de cenas estimuladas pelo tema
2. Escolha sociométrica da cena
3. Dramatização
4. *Sharing*
5. Relaxamento

CONSIDERAÇÕES FINAIS

O trabalho com música leva a níveis de consciência que só o som consegue. É um trabalho complementar, para certas pessoas, fundamental e único. Há várias formas de abordar o tema. Pode-se partir de uma canção que a pessoa lembre, uma composição, um sonho, uma música ou uma música guardada muito significativa. Dei apenas um motivo básico. O importante é um treinamento em música como protagonista, antes de se passar para o papel de diretor, pois é comum, depois dessas vivências, aparecerem canções intuitivas que revelam muito de nosso mundo interior. Hoje o gravador ajuda muito, didaticamente substitui a escrita musical. A necessidade de se dominar a escrita musical no passado causava distorções no ensino da música, uma vez que se exigia mais da visão e do intelecto do que do ouvido e da percepção.

A psicomúsica permite à pessoa entrar em sintonia com suas possibilidades sonoras e conseguir, assim, trocar com a vivência sonora de outros músicos, *encontrar-se*, mediados pelo som. Sua música só você poderá revelar. Se você não o fizer, o mundo não ficará gravado com o seu som.

BIBLIOGRAFIA

BUSTOS, D. *et al. O psicodrama*. São Paulo: Summus, 1982.
FONSECA FILHO, J. S. *Psicodrama da loucura*. São Paulo: Ágora, 1980.
GONÇALVES, C. S.; WOLFF, J. R.; ALMEIDA, W. C. de. *Lições de psicodrama*. São Paulo: Ágora, 1988.
HALPERN, S. *Som saúde*. Tekbox, 1989.
MORENO, J. L. *Psicodrama*. Buenos Aires: Hormé, 1972.
_____. *Las palabras del padre*. Buenos Aires: Vancu, 1976.
_____. *Fundamentos do psicodrama*. São Paulo: Summus, 1983.
_____. *O teatro da espontaneidade*. São Paulo: Summus, 1984.
MORENO, Z, T. *Psicodrama de crianças*. Petrópolis: Vozes, 1975.
SCHÜTZENBERGER, A. A. *Introducción al psicodrama*. Madri: Aguilar, 1970.
WISNIK, J. M. *O som e o sentido*. São Paulo: Companhia das Letras, 1989.

13. Videopsicodrama

Ronaldo Pamplona da Costa

> A Carlos A. S. Borba, que há anos trabalha
> comigo no papel de videodiretor

HISTÓRICO

Nossa experiência, associando videocassete e psicodrama, foi iniciada em 13 de abril de 1980, quando gravamos, pela primeira vez, por inteiro, em vídeo, uma maratona de oito horas com um grupo em processo terapêutico.

Essa experiência está baseada nas propostas de Moreno (1975, seção IX) para associar psicodrama com cinema, televisão e, posteriormente, videocassete. Moreno propunha a realização de filmes psicodramáticos que teriam a finalidade de atingir públicos que estivessem relacionados com seu tema central, buscando propiciar *insights*, catarses.

Em 1935, Moreno realizou um filme mudo, psicodramático, denominado *Role-playing do papel de garçonete*, com 12 minutos de duração. Esse filme foi apresentado à assembleia da American Psychiatric Association, em maio de 1935, em Washington (EUA).

Posteriormente, Moreno realizou mais três filmes, falados: *Introduction to psychodrama* (didático), *Psychodrama, group psychotherapy in action* e *Marriage psychodrama* (terapêuticos). Alguns anos depois, realizou sessões de psicodrama em circuitos fechados de televisão: em 1966, com pacientes do State Hospital do Colorado (EUA), e, em 1968, em Hollywood (EUA), com a presença de 600 pessoas.

Zerka Moreno (1968) afirma que Moreno foi o primeiro psicoterapeuta a propor o uso do cinema e da televisão para tratamento de casais, famílias e grupos de psicodrama.

A partir de abril de 1980, meus quatro grupos em processo passaram a ter suas sessões gravadas uma vez por mês, durante 18 meses. Esse trabalho resultou em mais de 100 videopsicodramas, que somente foram exibidos para o público que os produziu e utilizados para nossos estudos. Por questões éticas, jamais foram exibidos, e nem o serão, para qualquer outro público.

Já em maio de 1980, convidamos um grupo de psicodramatistas[1] para gravar uma sessão de psicodrama a partir de sua dinâmica no "aqui e agora", para depois ser vista pelo próprio grupo e poder ser exibida para outras pessoas de fora (segundo público). O trabalho foi editado e apresentado no II Congresso Brasileiro de Psicodrama, realizado em Canela (RS), em junho de 1980. Desse grupo inicial se originou o Grupo Experimental de Videopsicodrama (GEV), com o qual trabalhamos de maio a dezembro de 1980. Estudamos os vários aspectos do enquadre videopsicodramático, que resultou em 21 sessões gravadas, dando material para a monografia *Videopsicodrama* (Costa, 1980). A apresentação desse trabalho à Sociedade de Psicodrama de São Paulo foi seguida do videopsicodrama didático *Psicomúsica*, com direção de Martha Figueiredo Valongo e integrantes do GEV.

Em meados de 1981, fomos convidados pela artista plástica Sulamita Mareines para realizar a primeira sessão de videopsicodrama em uma galeria de artes. No Espaço Infinito, de Sulamita, em São Paulo, trabalhamos num espaço de arte fazendo os integrantes do grupo interagir com os objetos e o espaço. Surgiu daí a sessão gravada. Já naquela ocasião usávamos uma aparelhagem portátil, com câmera em cores.

Desde então, passamos a realizar videopsicodramas em grupos formados na hora em simpósios ou congressos em várias

---

1. Psicólogas Irene Stephan, Lidia Aratangy, Vera Rolim e Carlos A. S. Borba. Psiquiatras Pedro Mascarenhas, Regina T. da Silva, Vânia Crelier, Wilson Castello de Almeida e Ronaldo Pamplona da Costa.

cidades, entre elas Porto Alegre, Rio de Janeiro, Curitiba, Londrina, Recife e Tietê (interior de São Paulo). Nesta última, fizemos com os companheiros da Companhia do Teatro Espontâneo um trabalho videopsicodramático após a apresentação do vídeo de um filme de Moreno.

Em abril de 1984, a convite da psicóloga Regina Fourneaut Monteiro, realizamos o *Psicodrama das Diretas*, na Câmara Municipal de São Paulo. Regina e eu trabalhamos na codireção, com alguns egos auxiliares do GEV, e Carlos Borba gravando.

Ainda em 1984, no Festival de Vídeo do Museu da Imagem e do Som de São Paulo, fizemos o *Psicodrama sem palavras*, com um grupo de músicos psicodramatistas improvisando a música e a cantora Rosa Maria no vocal.

Em agosto de 1985, produzimos o *Psicodrama da aids*, na Câmara Municipal de São Paulo, seguido de um debate sobre o assunto. Em setembro do mesmo ano, preparamos o *Psicodrama do homem*, no encerramento do I Simpósio do Homem, que resultou no livro *Macho, masculino, homem* (Costa, 1986).

No Museu da Imagem e do Som de São Paulo, juntamente com Sulamita Mareines, também realizamos um psicodrama após a apresentação do seu Teatro Objeto (exposição de esculturas que "falavam" um texto).

Em maio de 1989, fizemos o primeiro psicodrama de rua (na Praça da Sé, São Paulo), com o tema "O manicômio". O trabalho, dentro da Semana de Luta Antimanicomial, foi dirigido por mim e por Regina Fourneaut Monteiro, com patrocínio da Secretaria de Saúde do Município de São Paulo. Esse psicodrama foi documentado em vídeo por Carlos Borba. Nos dois anos seguintes, com direção de Regina e da psiquiatra Vânia Crelier, repetiu-se a experiência na Praça da Sé e no boulevard da Avenida São João, em São Paulo. Somente o segundo foi gravado por Carlos Borba.

REGINA FOURNEAUT MONTEIRO (ORG.)

VIDEOPSICODRAMA TERAPÊUTICO EM GRUPO

DEFINIÇÃO

Estamos considerando o videopsicodrama o resultado de uma sessão de psicodrama gravada por um psicodramatista, que denominamos videodiretor. O videopsicodrama será a leitura da sessão pelo videodiretor. Há necessidade de que o videodiretor seja um psicodramatista, pelo conhecimento e familiaridade que tem com o método psicodramático.

Se a meta é terapêutica – trabalhar no próprio grupo terapêutico com o videopsicodrama resultante ou concomitante à gravação –, mais importante será o papel de videodiretor. Como participará da unidade funcional terapêutica, ele deverá ter esse papel bem desenvolvido. Um técnico de vídeo ou televisão não tem conhecimento suficiente para gravar uma sessão terapêutica e produzir um videopsicodrama, o que poderá ser feito até com uma câmera fixa.

CONTEXTOS

A sessão de videopsicodrama contém, além dos contextos social, grupal e dramático, o videopsicodramático, constituído pela aparelhagem e pelo videodiretor, que não participa verbalmente, mas "interfere" nos contextos grupal e dramático.

INSTRUMENTOS

Instrumento é o meio empregado na execução do método e das técnicas psicodramáticas.

São cinco os instrumentos do psicodrama: cenário, protagonista, diretor, ego auxiliar e público. Necessitamos de mais um instrumento, no mínimo: o videodiretor com a aparelhagem de vídeo. Se utilizarmos uma segunda câmera, precisamos de outro instrumento: o *psicocameraman*. Algumas alterações nos demais instrumentos podem ser necessárias.

No cenário, por exemplo, deverá ficar clara sua delimitação. Este deve ser colocado em um espaço que possibilite, sem maiores dificuldades, o caminhar do videodiretor, para que ele possa obter melhor ângulo de visão da cena dramática. É preciso que a cena ocorra, de preferência, voltada para o público, com a finalidade de torná-la uma caixa de ressonância do protagonista, desde que isso não desaqueça este último para a ação. Uma cena montada de costas para o público poderá necessitar de uma rotação de 180 graus. O mesmo se pode dizer em relação ao videodiretor e sua câmera, caso ele não tenha ampla possibilidade de se locomover.

O protagonista deverá ter familiaridade com o "ser gravado", o que, em nossa experiência, tem acontecido após poucas sessões. Os grupos assimilam tão bem esse recurso que se "esquecem" de sua presença.

Podem existir momentos em que o tema do protagonista é a situação de estar sendo gravado. Dependerá da integração do diretor e videodiretor. Daí a importância da sensibilidade do terapeuta videodiretor, que deverá saber até que ponto sua presença terá de ser mais próxima ou mais distante.

O diretor, além de todas as suas funções em sessões de psicodrama, deverá ter um bom vínculo com o videodiretor. Nas sessões terapêuticas, seu papel é privilegiado. Deverá estar atento, dando consignas ao videodiretor. Por exemplo, em voz alta: "Câmera, venha ver o que está acontecendo aqui". Ou, então, em voz baixa (cochicho): "Procure gravar aquele ângulo de fulano".

Ao mesmo tempo, o videodiretor não se expressa verbalmente (sua voz, próxima ao microfone, interfere muito na exibição das cenas gravadas). O diretor deve lembrar-se sempre de que a visão do videodiretor, por estar ocorrendo por meio de uma câmera, poderá ser diversa da sua e não ser possível atender à consigna. Por gravar sessões há muitos anos, Carlos Borba percebe quando o corpo de uma pessoa está recebendo bem sua gravação ou recusando-a.

O ego auxiliar, além de estar ligado ao diretor e pronto para receber consignas, deixa bem explícito, corporal e verbalmente, com sua função de ator, sua contribuição para que, na exibição do videopsicodrama, fique mais claro o acontecido na ação dramática. Na função de observador social, poderá, por meio de seu papel, explicitar algo que esteja ocorrendo com o protagonista, o que auxiliará a direção e a videodireção.

Os demais integrantes do grupo, que não estão na ação dramática, também serão captados pela câmera. Eles são o público.

A sutileza do videodiretor deverá corroborar para que o público não desvie sua atenção do foco dramático. Se isso acontecer com frequência, deverá ser investigado posteriormente, durante a exibição do vídeo, quando o videodiretor participa ativamente, inclusive dando suas opiniões baseadas no que percebeu e apontando, no vídeo, o porquê de seu foco sobre essa ou aquela pessoa. São detalhes que, na maioria das vezes, passam despercebidos para o diretor, ego e público, por várias razões a ser estudadas pela equipe terapêutica. Falaremos, mais adiante, das peculiaridades do papel de videodiretor.

ETAPAS

A sessão de videopsicodrama tem obrigatoriamente, além do aquecimento, da dramatização e do compartilhar, a etapa da exibição. Poderá ter ainda outras etapas: do processamento e da supervisão.

As etapas de aquecer, dramatizar e compartilhar são do conhecimento de todos os psicodramatistas. Algumas de suas especificidades já foram reveladas no tópico anterior.

Vamos nos deter um pouco na etapa da exibição. Nela, toda a equipe terapêutica e os clientes passam por um papel comum, que é o de telespectador. Claro está que ninguém se despiu de seu papel anterior. Teremos, então, diretor-telespectador, ego-telespectador, videodiretor-telespectador, cliente-telespectador. De certa forma, é nessa etapa que poderá existir uma maior horizontalidade dos papéis. Todos observam a si e aos outros, e vice-versa. Pode ser uma experiência muito rica para todos, porque os pacientes podem se ver em ação e a equipe terapêutica pode clarificar aspectos da sessão.

Essa etapa da sessão poderá promover *insights* e catarse. Se o protagonista for grupal, isso será muito útil, porque, como todos estiveram na ação dramática, o perceber-se dramatizando fica prejudicado em favor da vivência das emoções. O diretor, ego e o videodiretor poderão beneficiar-se dos comentários dos clientes a respeito de suas atuações nos respectivos papéis. "O que você fez nesse momento me auxiliou (ou 'me prejudicou')". Será possível voltar a fita várias vezes, em velocidade normal, câmera lenta ou quadro a quadro, até que se classifique o porquê dessa crítica. A exibição do videopsicodrama poderá auxiliar na elaboração da sessão por parte de todos, cada um em seu papel, assim como servir como outro tipo de supervisão de papéis terapêuticos pelos pacientes.

O processamento se dá quando só os terapeutas procuram compreender todas as etapas dos pontos de vista teórico e técnico do psicodrama. É essa a quarta etapa do videopsicodrama.

Ainda que o videopsicodrama resulte na sessão vista através de sua ótica, ele é um recorte artificial da realidade que está muito mais próximo do acontecido, daquilo que gravamos dentro de nós.

Se o grupo terapêutico é didático, ou seja, composto de alunos que buscam aprender com sua vivência terapêutica, o videopsicodrama poderá ser exibido duas vezes: uma como etapa terapêutica, quando se elabora, e outra, a didática, quando o processamento se dá com a participação de todos. A quinta etapa da sessão – a de supervisão, com um terapeuta supervisor – dependerá totalmente da aceitação e permissão dos pacientes. Aqui importa a questão do sigilo e da ética profissional.

Quando vamos supervisionar determinada sessão de psicodrama, o que levamos para estudo é a sessão internalizada, da qual podemos omitir dados para impedir a identificação das pessoas tratadas.

Já na supervisão do videopsicodrama, levamos a sessão mais próxima de como aconteceu, e é impossível impedir a identificação das pessoas e dos personagens envolvidos na vida dos pacientes. A supervisão autorizada deverá deixar claro com que profissional será feita. Como a rede sociométrica dos terapeutas e clientes é muito entrelaçada, isso é de fundamental importância.

Sugerimos que o consentimento seja dado somente depois da etapa da exibição e que seja gravado em vídeo, ou por escrito.

REALIZAÇÃO

Há sempre três etapas:

Produção

É a fase de gravação, o momento do grupo. Nessa etapa, existem algumas variáveis a ser consideradas. Por exemplo, o trabalho com televisão, que mostra as imagens ao mesmo tempo que são gravadas, permitindo seu uso no mesmo instante; a variável do videocâmera, que é considerada "objetivante terapêutico", mas poderá ser ainda utilizada como objeto intermediário, apesar de não preencher todos os seus elementos básicos; e, ainda, a variável de iluminação, que, nas gravações em cores, deve ser mais intensa.

Edição ou montagem

É a fase do processo de escolha das imagens a ser vistas ou cortadas. Poderá ser feita pelos terapeutas, assim como pelo próprio grupo. Neste caso, a fase em questão coincide com a próxima. Em geral, o videodiretor irá editando um pouco, ao escolher os objetos de gravação.

Exibição

É a fase em que o(s) paciente(s) e os terapeutas assistem ao videopsicodrama realizado, procurando extrair dele todos os elementos necessários à psicoterapia. Esse momento é necessário e faz que levemos em conta o tempo de sessão, que deverá ser aumentado em seu todo, ou diminuído na fase de produção. Em psicoterapia, o videopsicodrama poderá ter um segundo público, composto por um supervisor individual ou de grupo, constituindo o momento dos terapeutas somente.

OUTRAS MODALIDADES DE VIDEOPSICODRAMA

VIDEOPSICODRAMA TERAPÊUTICO GRUPAL EM CIRCUITO FECHADO DE TELEVISÃO

Um videocassete é facilmente conectado a outros, podendo transmitir as imagens gravadas por uma câmera de vídeo ligada ao primeiro. A ideia seria usar essa modalidade numa circunstância em que o espaço não permitisse juntar todas as pessoas em uma única sala. Poderíamos ter, por exemplo, 30 pessoas na primeira sala, onde seria realizado o videopsicodrama, com diretor, ego auxiliar e videodiretor. Outras cinco salas, com grupos de 50 pessoas cada, receberiam as imagens. Somaríamos 280 pessoas. Nas salas onde receberíamos só as imagens, haveria um psicodramatista, que, ao fim da exibição, promoveria com cada grupo o compartilhar das emoções e a elaboração. Isso poderia acontecer, por exemplo, em instituições como escolas, hospitais psiquiátricos, prisões, internatos ou, ainda, em congressos de psicodrama, onde determinado terapeuta dirigiria, sem ter o desconforto de um grupo grande apinhado em uma sala.

A outra finalidade seria pesquisar a receptividade do videopsicodrama somente pelos televisores. Moreno propunha que se realizassem filmes terapêuticos reproduzidos em circuito fechado. Talvez fosse o ideal, porque já saberíamos que o vídeo psicoterapêutico teria boas condições. Logo adiante, falaremos desse tipo de vídeo.

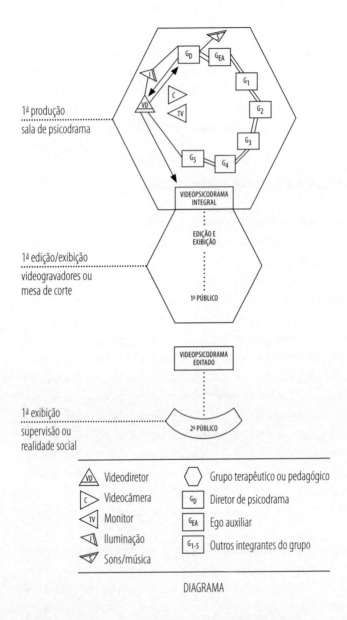

DIAGRAMA

O USO DE UM VÍDEO PSICOTERÁPICO PARA AQUECIMENTO DE UM GRUPO TERAPÊUTICO

Fizemos algumas experiências em que exibimos parte de um videopsicodrama, parando a exibição quando já estava claro o seu conflito, mas ainda não se iniciara a sua solução. A partir daí, trabalhamos com o grupo a solução que se poderia dar para aquela situação, por meio da identificação com os personagens que apareciam no vídeo.

PSICODRAMA INDIVIDUAL, DE CASAL OU DE FAMÍLIA COM VIDEOPSICODRAMA

Nas três modalidades estão presentes o ego auxiliar e o videodiretor. Como só existe um paciente, um casal ou uma família protagonista, com ausência de outros clientes, além dos três terapeutas, o videopsicodrama reveste-se de maior importância. A elaboração ocorrerá com maior profundidade, porque o compartilhar e os comentários dar-se-ão somente partindo dos clientes e dos terapeutas. As imagens gravadas auxiliarão bastante na percepção de cada um, sendo menor a possibilidade de negar o comentário feito.

No Brasil, no momento político vivido nos anos 1980, a situação econômica limitou bastante as psicoterapias que propunham mais de um psicoterapeuta para seu desenvolvimento. Na maioria das vezes, o ego auxiliar era dispensado e um terceiro terapeuta no papel de videodiretor também era naturalmente dispensado.

Ficava a possibilidade de o diretor trabalhar com câmera fixa em tripé, o que, a nosso ver, produz apenas um documento da sessão e não um videopsicodrama.

Resta-nos pensar que o videopsicodrama possa ser usado em locais de ensino (faculdades, institutos, sociedades), onde o benefício do aluno não está vinculado ao ganho financeiro, mas, sim, ao aprendizado. Em geral, o cliente paga somente uma taxa simbólica e os professores são remunerados pela instituição escolar.

PSICODRAMA BIPESSOAL COM VIDEOPSICODRAMA

Nessa modalidade de trabalho poderemos convocar o papel de videodiretor. A sequência da sessão será a mesma observada nas etapas de um grupo, com os mesmos contextos e instrumentos.

A outra possibilidade é a de o diretor fazer também o papel de videodiretor. Coloca-se a câmera a uma distância razoável, deixando-a em *zoom* (objetiva de foco que permite a aproximação da imagem) e, à medida que o protagonista vai assumindo vários papéis, o diretor gira-a em sua direção. A outra possibilidade é a de um diálogo com um personagem interno: o protagonista inverte o papel sem sair do lugar, dá meio passo para a frente e para trás, sempre olhando na direção da câmera e fazendo os dois papéis. Ao exibir o vídeo, teremos a mesma pessoa fazendo os dois papéis, analisando-se a relação interna dos personagens e a diferença que existe entre os dois. As possibilidades são inúmeras, basta que o psicodramatista invista sua criatividade para satisfazer, de acordo com as circunstâncias, as necessidades de seu cliente e as suas.

AUTOVIDEOPSICODRAMA

Trata-se de uma técnica em que o psicodramatista se dirige como protagonista; seria correspondente ao monólogo teatral. Se houver a possibilidade de contar com um videodiretor, obtém-se um videopsicodrama. Temos uma dessas experiências gravada.

PSICODRAMA PÚBLICO: UTILIZANDO O VIDEOPSICODRAMA

Dos mais de 60 psicodramas (ou sociodramas públicos) que realizamos, quase nenhum tem as qualidades de som e imagem que poderíamos obter hoje, dado o avanço tecnológico.

Os espaços (instituições, congressos, simpósios) também não costumavam ter condições desejáveis para um bom trabalho videopsicodramático. Podemos realizar um psicodrama em qualquer espaço. Em geral, um videopsicodrama também. Porém, o resultado final a ser exibido ficará melhor na razão direta das condições favoráveis.

Com públicos muito grandes, de 300, 500 ou 700 pessoas (com os quais já trabalhamos), o ideal seria que tivéssemos um videodiretor e dois *psicocameramen*. O primeiro somente orientaria o trabalho dos outros dois, intercomunicando-se por fones de ouvido. Isso porque quem grava não pode falar nem receber consignas, ainda que em voz baixa, porque ficará registrado no vídeo. Deveríamos ter espaço aberto no cenário dramático para mobilização dos *psicocameramen* e do videodiretor, que compõem o contexto videopsicodramático. Esse material, posteriormente, deveria ser editado para compor um todo. Nunca tivemos essas condições e sempre trabalhamos com um só videodiretor.

Os videopsicodramas acabam sendo de maior utilidade para a elaboração e o processamento da equipe terapêutica, ou para a exibição para um segundo público que deseja conhecer o trabalho.

Mas isso já é muito, porque temos hoje o registro de nosso primeiro trabalho público (*Psicodrama das diretas*) e de todos os outros, embora boa parte deles esteja mais próxima da documentação do que do videopsicodrama, por falta das condições ideais.

ANÁLISE DE ALGUNS ASPECTOS DO VIDEOPSICODRAMA

VIDEOTEIPE COMO OBJETIVANTE PSICODRAMÁTICO

Esse recurso oferece aos psicodramatistas a possibilidade de obter um "recorte artificial da realidade". Dessa forma, ele passa a ser um "objetivante terapêutico" (Rojas-Bermúdez, 1979, p. 35) ou objetivante psicodramático, em sentido mais amplo, uma vez que não o empregamos só na área terapêutica estrita. O fato é que esse recurso passa a ser um aliado do grupo psicodramático, devolvendo-lhe as imagens de sua atuação, sem deixar margem a dúvidas com relação à realidade passada, ou que está se passando.

O videoteipe é considerado por Rojas-Bermúdez um derivado do objeto intermediário – assim como o cinema, a música e os sons –, uma vez que não preenchem todas as qualidades que definem o "objeto intermediário".

VIDEODIRETOR: UM NOVO PAPEL PSICODRAMÁTICO

Já que o videoteipe nos oferece um "recorte artificial da realidade", é importante que esta seja vista, sentida, compreendida e apreendida por um psicodramatista. O psicodrama possui especificidades que só os psicodramatistas manejam. Quando nos referimos a psicodramatistas, está claro que nos referimos à postura psicodramática, e não simplesmente ao manejo de técnicas psicodramáticas. Percebemos, ao longo de vinte anos de prática com psicodrama, que alguns indivíduos aparentemente já têm essa postura internalizada e, com pouca prática, passam a atuar adequadamente no cenário psicodramático. Com algum tempo de aprendizado dos instrumentos básicos do videopsicodrama, pessoas assim poderiam ter a capacidade de assumir o papel de videodiretor.

Se, por um lado, o videodiretor deverá ser um psicodramatista, este deverá ter um mínimo de conhecimento e prática no uso do videoteipe. A aparelhagem tem peculiaridades, limitações e possibilidades de uso que precisam ser aprendidas, para que se obtenha um bom videopsicodrama. Ao longo deste trabalho, o leitor poderá perceber algumas delas. Quanto aos aspectos técnicos, o videodiretor acumula as funções que, na televisão, correspondem à de diretor de televisão e câmera. Quanto aos aspectos psicodramáticos, ele não é um ego auxiliar, pois não tem as funções de ator e de agente terapêutico.

Em grupos de psicoterapia, como todo trabalho gira em função do protagonista (vide diagrama neste capítulo) e todo ele só existe com esta finalidade (psicoterápica), o videodiretor estará voltado somente para o grupo, sem pensar em um segundo público. O diretor psicodramático terá a primazia do papel em relação ao do videodiretor, e as condições técnicas para uma boa gravação passam a ocupar o segundo plano (iluminação, proximidade da câmera, gravar ou não gravar).

Como terapeuta, o videodiretor pode passar por momentos angustiantes. Por vezes, o conteúdo das cenas gravadas gera profunda emoção, que deverá ser contida durante a gravação e ter espaço apenas na hora da exibição do videopsicodrama, quando poderá ser compartilhada com o grupo, se ele o desejar.

Poderá acontecer de o protagonista individual, no momento que contrata seu tema com o diretor, dizer que não quer ser gravado nas dramatizações daquele tema. É possível, também, que não deseje a presença desse terapeuta. Como a gravação está a serviço do trabalho psicoterápico, não cabe impor esse instrumento, ainda que seja desejável clarear o motivo da recusa, visto que poderá ocultar alguma razão importante.

Como nunca fizemos esse trabalho de forma contínua, e, sim, uma vez por mês em cada grupo, nas poucas vezes em que aconteceu a recusa o videodiretor teve de se retirar.

Para que o trabalho flua bem, é necessário que se estabeleça uma boa relação entre o videodiretor e os pacientes, permitindo, inclusive, dramatizar essa relação, sem gravar as sessões, para que os empecilhos que daí advenham sejam superados. De um modo geral, os grupos ou clientes aceitam bem a gravação das sessões quando começam a perceber todo o benefício que isso lhes traz. Só existe razão de se realizar videopsicodramas em psicodramas terapêuticos se isso for benéfico para os clientes.

ALGUMAS TÉCNICAS EM VIDEOPSICODRAMA

> As imagens gravadas são o espelho mais
> correto de nós mesmos.

TÉCNICAS QUE LEVAM A UM MELHOR CONHECIMENTO CORPORAL

- Autoapresentação – Cada paciente se oferece à câmera: "Ofereço minha face, que é assim..."; diz algo sobre ela: "Apresento meus cabelos, minha barriga, minhas nádegas, minha genitália". Para isso, o ideal seria que todos fossem se desnudando. Entretanto, como em nossa sociedade existe grande pudor em relação à nudez, por parte de pacientes e terapeutas, sugerimos que isso seja feito em trajes de banho ou roupa colante.

- Apresentando o corpo do outro – Cada paciente escolhe um colega do grupo, cujas partes do corpo apresentará à câmera, fazendo comentários: "Apresento as costas de fulano, perceba como elas são eretas".

- Como percebo meu corpo x Como meu corpo é visto pelos outros – Realiza-se um aquecimento em movimento, solicitando que todos façam uma "viagem", buscando perceber cada parte de seu corpo. Logo depois, relaxados (sentados ou deitados), solicitamos que cada um projete numa tela mental seu corpo como o "vê", e busque uma postura que expresse mais claramente como o sente. Em seguida, o grupo volta a andar e vai gradativamente reproduzindo com seu próprio corpo a imagem que "viu" na tela mental, até se transformar em uma estátua que não mexe nem mesmo os olhos. Durante toda a sessão, o videodiretor grava as etapas do jogo dramático e, no momento em que estão todos imóveis, passeia entre eles, com sua câmera gravando todos em todos os ângulos possíveis. Terminado esse trabalho, passa-se para a etapa de exibição. Todos podem verificar a visão que têm de seus corpos e de como são vistos por outro (papel exercido pela câmera).

- Vendo minha genitália – Por mais de uma vez, tivemos pacientes masculinos que nasceram com algum tipo de anormalidade no pênis ou na bolsa escrotal. Em todos os casos dessa natureza, não apenas genital, procuramos examiná-los fisicamente (talvez um resquício do que fomos antes da psiquiatria: clínicos gerais). Para esses pacientes, foi muito importante ver seu pênis e sua bolsa escrotal no vídeo. Disseram que tinham uma visão completamente diferente dos seus órgãos genitais, apesar de terem se utilizado de espelhos. Quando nos vemos em vídeo, temos uma visão de espectador. É bom enfatizar que, como vivemos em uma sociedade falocrática, os homens, principalmente, têm muita preocupação com a aparência de sua genitália externa. Ela está vinculada, em seu mundo, à sua masculinidade e virilidade. Essa técnica poderá trazer o material relativo a isso e desencadear um trabalho mais profundo. Acredito que seria muito importante esse trabalho com mulheres mastectomizadas e pessoas com deficiências.

- Paciente em solilóquio falando com seu corpo, diante da televisão. Paciente diante da televisão ligada – O videodiretor faz um passeio pelo corpo do paciente, de frente e de costas, enquanto este comenta, em solilóquio, o que acha de cada parte vista.

EXIBIÇÃO SIMULTÂNEA

Durante a gravação, as cenas psicodramáticas vão sendo exibidas e, após vê-las, o paciente decide qual delas deseja dramatizar em seguida.

CENAS PARALELAS

Um paciente poderá estar impedido de se movimentar, por uma questão física ou emocional (fobia). Solicita-se que alguns pacientes reproduzam com o ego auxiliar as cenas internas que ele vivenciou. Ele vai acompanhá-las pela televisão, ao mesmo tempo que fornece o *script* para as cenas sequenciais. No caso de dificuldade emocional, o paciente poderá ir aos poucos se soltando, até conseguir participar da cena ao vivo. Tivemos uma situação grupal em que a protagonista estava grávida, com risco de aborto e prescrição de repouso relativo. Não chegou a participar da cena.

GUIA DE CEGOS

No grupo, em duplas, um faz o papel de cego (olhos vendados) e o outro de guia. Cada par é gravado, inclusive na inversão de papéis. Repete-se o jogo após a exibição da primeira parte.

O PACIENTE ATRASADO

Quando algum paciente chega atrasado a uma sessão, num dia em que tenha sido alvo de comentários do grupo, pede-se que fale das suas fantasias sobre o que ocorreu na sessão até aquele momento. Exibe-se o trecho do vídeo inicial, para confrontar a fantasia com a realidade.

RODÍZIO DE VIDEODIRETOR

Com o papel de um videodiretor profissional presente, propõe-se que cada elemento do grupo assuma a gravação de uma parte da sessão, ou de uma sessão inteira. Cada um *de per si* assume a direção videopsicodramática e experimenta como é o estar atrás da câmera e o que sente. Ao mesmo tempo, cada um dos integrantes do grupo sente como é ser gravado por A, B ou C. Isso poderá revelar, também, com material suficiente gravado por todos, que visão cada um tem do grupo.

Carlos Borba cita, em sua monografia (1990), o uso dessa técnica pela primeira vez, num grupo em que a videocâmera é protagonista e, depois da inversão de papéis, o foco do grupo volta para sua dinâmica.

EU NO MEU CONTEXTO SOCIAL

Cada paciente poderá ser gravado por outro, em várias situações de sua vida social (família, trabalho, festas), e levar as cenas para ser exibidas no grupo. A partir daí, pode-se dar início ao trabalho com o material emergente do grupo.

Uma variação dessa técnica é o paciente entrevistar várias pessoas que considera importantes falando sobre sua pessoa, como o percebe, quais suas qualidades e defeitos.

Outra variação é gravar em vídeo uma reportagem fotográfica, escolhendo, em ordem cronológica, as fotos que revelam aspectos importantes de sua vida.

TÉCNICAS FUNDAMENTAIS DO PSICODRAMA

GRAVANDO DA TELEVISÃO OU CENAS VISTAS

Cada um escolherá cenas de televisão, jornais, novelas, filmes que lhe mostraram algo com o que se identificou e com o que gostaria de trabalhar. Poderão ser, também, cenas que vê com frequência nas ruas, em locais públicos ou não, e que o incomodam.

Selecionamos algumas situações que poderão servir de guia inicial para quem trabalhará com videopsicodrama, mas cada um poderá facilmente escolher dezenas de outras técnicas.

VIDEOPSICODRAMAS TERAPÊUTICOS

Em seu livro *Psicodrama* (1975), Moreno propõe a realização de filmes cinematográficos psicoterápicos e o uso da televisão como método para conseguir a atuação espontânea de um grupo de pessoas, porque, até então, a televisão só existia ao vivo. Acreditamos que poderíamos tentar realizar suas propostas, juntando os dois métodos sugeridos, acrescidos da experiência e das particularidades que o uso do vídeo em psicodrama nos traz. A intenção é conseguir videopsicodramas que produzam catarse de integração no segundo público, com finalidade terapêutica. Acreditamos que este poderá ser um dos caminhos da sociatria, até então vista como utópica.

"A seleção dos conflitos, a construção dos argumentos e a eleição e treinamento do elenco devem estar de acordo com os princípios psicodramáticos".

"O propósito terapêutico é o primário, o meio – cinema ou televisão – é secundário".

Para a realização de filmes cinematográficos, Moreno propõe três métodos:

1. O do paciente-ator, "para quem a produção do filme constitua parte do seu tratamento" (Moreno, 1975). Este deverá ser selecionado a partir do fato de apresentar um conflito pessoal

mais ou menos universal, e de possuir qualidades dramáticas superiores. Esse paciente seria assessorado por um grupo de egos auxiliares com esse papel bem desenvolvido.

2. O do ego-ator, em que um paciente seria tomado como *script vivo*. Seus conflitos iriam sendo dramatizados pelos egos auxiliares.

3. O do ego-ator principal e o paciente em papel secundário, funcionando como outro ego auxiliar.

Nessas três proposições, o objetivo primeiro é a psicoterapia do paciente, ou seja, todo esse trabalho deverá ser desenvolvido para seu próprio benefício. O auxílio ao segundo público apareceria em segunda instância.

"Fica claro que a base verdadeira das películas cinematográficas terapêuticas é a experiência espontânea, viva e vivenciada, e não a ficção".

"Sua intenção seria produzir catarse de integração na ação, enquanto se realiza o filme, de forma tal que essa possa atingir o espectador, mobilizando-o para uma segunda catarse, quando os processos de aprendizagem e desenvolvimento poderão ser possíveis através da autorrealização e autoterapia". "Em situações em que os conflitos mostrados na tela sejam mais complexos, deveriam ser seguidos de sessões de psicodrama".

REALIZAÇÃO

Há, também, três fases:

Produção – Estúdio de videopsicodrama

Em nosso caso, estamos aos poucos adaptando melhor nossa sala de psicodrama às condições mínimas para a produção de videopsicodramas. Quando se trabalha com vistas a um segundo público, a iluminação, as condições do cenário psicodramático, as cores das roupas dos componentes do grupo têm de ser levadas em conta. O uso de objetos metálicos (relógios, pulseiras,

Técnicas fundamentais do psicodrama

anéis), de óculos, e o acender de cigarros refletem luz, influindo na qualidade da imagem. Outro problema que temos encontrado são os sons que vêm de fora da sala.

Edição ou montagem

Primeira fase – É o processo pelo qual as cenas são escolhidas para fazer parte do videopsicodrama editado. Seu primeiro público é composto por todos os elementos do próprio grupo. O sigilo terá de ser respeitado, ainda que isso exija o corte completo de algumas cenas, ou a eliminação do som, substituindo-o por música, outros sons, ou narração em *off*. Essa edição em segunda instância poderá ser feita também por um "público-teste" (Moreno, 1975), isto é, um grupo de pessoas que dirão quais cenas comunicam melhor os motivos que estão adstritos à finalidade do videopsicodrama.

Segunda fase – A do corte, propriamente dito, que poderá ser feito em mesa de corte ou de controle (mesa provida de recursos usados para corte e efeitos especiais). Serão também incluídos os efeitos especiais, que podem ser visuais (congelamento de cena, fixação de imagem, quadro a quadro – uma imagem após outra com pequeno intervalo de tempo, câmera lenta ou rápida) ou sonoros (como narração em *off*, entre outros efeitos possíveis) e musicais.

A edição também poderá ser conseguida com uso de dois videogravadores.

Exibição

No caso de a fase de corte ter sido feita por dois gravadores, é no momento da exibição que serão conseguidos os efeitos especiais de câmera lenta ou rápida, quadro a quadro e outros, dependendo das possibilidades técnicas dos videogravadores que exibem o videopsicodrama. É nessa fase que o videopsicodrama alcança um público composto de pessoas ou profissionais diferentes dos que o realizaram. Esse público variará de acordo com a finalidade e o tamanho do grupo a que se destina (estudantes das áreas de ciências humanas, alunos de psicodrama, psicodramatistas já formados, leigos). Em suma, tal público poderá ser composto por um pequeno grupo (televisor comum), por grupos maiores (telões de televisão), ou pela massa (canais de televisão).

O público espectador deverá ser aquecido para esse momento. É necessário que busquemos um clima próximo da exibição cinematográfica. Escuridão, silêncio, tranquilidade, além de uma preparação, em que o diretor de psicodrama pedirá que cada um faça uma reflexão, perceba a emoção dominante dentro de si e procure relaxar para receber as cenas do videopsicodrama vivenciadas por outras pessoas.

O papel de telespectador, em nossa sociedade, está muito cristalizado e tem características opostas às do de espectador cinematográfico. Este último tem condições melhores para vivificar um videopsicodrama assistido.

No caso de haver um público de tamanho médio, o ideal seria o uso de telão de vídeo ou de vários televisores.

CONSIDERAÇÕES FINAIS

A partir de tais ideias morenianas, seria possível tentar algo nessa linha. Em princípio, vemos a possibilidade de utilizar os métodos propostos para cinema, ou seja, realizá-los dentro de um estúdio videopsicodramático. A outra possibilidade seria a de realizá-los a partir de um psicodrama público. O público já seria convidado com essa finalidade, o que talvez ajudasse a resolver o problema ético. A composição do segundo público serviria como determinante do grupo de pessoas que seriam convidadas para realizar o videopsicodrama público. Suponhamos que queiramos tratar a classe estudantil com um videopsicodrama. Neste caso, as pessoas que comporão o grande grupo terão de desempenhar papéis sociais ligados à classe estudantil: professores, administradores escolares, pais.

Com base na reação desse público, acreditamos que seria possível prescindir do "público-teste" e editar um videopsicodrama terapêutico mais espontâneo, usando-o depois para trabalhar com outros grupos.

Não sabemos se Moreno exibiu seus filmes terapêuticos ou psicodramáticos. Se o fez, também não sabemos que resultados obteve.

Em nossa experiência, percebemos que todas as vezes que exibimos os nossos videopsicodramas (com todas as suas falhas técnicas), o público pequeno, médio ou grande, desde que aquecido para receber as imagens de psicodrama em vídeo (sempre em televisão doméstica, nunca em telão), mobiliza as emoções.

Numa linha terapêutica, só temos um vídeo em que a protagonista individual trabalha seu binômio "força/fraqueza". Essa protagonista, que não era paciente de nenhum de nós, nem de ninguém, autorizou-nos, depois de ver o vídeo, a exibi-lo em ambientes profissionais.

Numa Semana de Psicologia da Faculdade de Psicologia de Londrina (PR), exibimos esse videopsicodrama para um público de 120 pessoas. Gravamos, depois, os depoimentos de muitos dos presentes e com essas pessoas fizemos um psicodrama público, em que o protagonista leva um tema correlato ao do vídeo.

Acreditamos, então, que se partimos das propostas de Moreno para cinema e televisão, com condições técnicas mínimas como acima descrevemos, poderemos produzir videopsicodramas terapêuticos, pedagógicos ou sociais. Esse talvez seja o primeiro passo em direção à sociatria. Esta é considerada, por muitos psicodramatistas, a utopia moreniana. Entretanto, é buscando-a que alcançaremos o limite de nossas capacidades, pesquisando até onde o psicodrama poderá ser uma das armas de transformações individuais e sociais.

BIBLIOGRAFIA

BORBA, C. A. S. *O papel do videodiretor em videopsicodrama*. Monografia apresentada à Sociedade de Psicodrama de São Paulo para credenciamento como psicoterapeuta em Psicodrama, 1990.

COSTA, R. P. da. *Videopsicodrama*. Monografia apresentada à Sociedade de Psicodrama de São Paulo para credenciamento como terapeuta de alunos, 1980.

COSTA, R. P. da *et al*. *Macho, masculino, homem*. Porto Alegre: L&PM, 1986.

HEILVEIL, I. *Videoterapia: o uso do vídeo em psicoterapia*. São Paulo: Summus, 1984.

MORENO, J. L. *Psicodrama*. São Paulo: Cultrix. 1975.

MORENO, Z. T. *Group psychotherapy*. Nova York: Beacon House, 1968.

ROJAS-BERMÚDEZ, J. G. "El objeto intermediário". *Cuadernos de Psicoterapia*, Buenos Aires, v. 13-14, n. 12, 1979.

PARTE VI

14. Role-playing

Arthur Kaufman

> Acontece, porém, que a toda compreensão de algo
> corresponde, cedo ou tarde, uma ação. Captado um
> desafio, compreendido, admitidas as hipóteses de
> resposta, o homem age. A natureza da ação corresponde
> à natureza da compreensão. Se a compreensão é crítica
> ou preponderantemente crítica, a ação também o será.
> Se é mágica a compreensão, mágica será a ação.
>
> (Freire, 1971)

As TÉCNICAS DRAMÁTICAS PODEM ser muito importantes no campo da didática, propiciando uma comunicação mais efetiva e plena entre educador e educando. A transmissão pura e simples da palavra, por meio das explicações teóricas, proporciona apenas uma aprendizagem nacional, conceitual, individualizada, sem preocupação com a integração social do aluno. E essa não integração faz que os alunos fiquem, de certa forma, isolados no tempo e no espaço, ligados a um ensino em que têm primazia a imitação e a reprodução.

O ensino psicodramático procura incrementar o desenvolvimento do comportamento social, juízo crítico e criatividade por parte do estudante. Um ensino bem executado enseja um bom clima emocional, a integração e a aprendizagem grupal, na medida em que concilia o conhecimento com a experiência vivida.

Moreno fala em "psicodrama pedagógico" e "psicodrama como método pedagógico", referindo-se aqui ao "método do ego auxiliar", que considera "eficiente e inócuo". Afirma que a vantagem desse método é que o verdadeiro paciente não é necessário para a aula e, com isso, evita-se que tenha uma vivência traumática. "Em outras palavras: o trauma é transferido ao estudante e

Técnicas fundamentais do psicodrama

sua intensidade é tanto maior quanto mais episódios se aproximem de suas próprias vivências" (Moreno, 1974).

Zerka Moreno (1975) utiliza a denominação *psicodrama didático*, e Maria Alicia Romana (1985) usa o nome mais tradicional, *psicodrama pedagógico*, ou simplesmente *psicodrama aplicado à educação*.

Em agosto de 1969, Maria Alicia Romana realizou demonstrações das "técnicas psicodramáticas aplicadas à educação" no IV Congresso Internacional de Psicodrama, em Buenos Aires. Durante um ano, a partir de outubro de 1969, ela se responsabilizou pela formação de educadores no Grupo de Estudos de Psicodrama de São Paulo. Foi nessa ocasião que começou, em São Paulo, a formação de psicodrama pedagógico.

Clóvis Garcia, professor de Psicodrama Pedagógico da Escola de Comunicações e Artes da Universidade de São Paulo, utiliza a seguinte visão quanto à aplicação prática do psicodrama:

1. psicodrama terapêutico;
2. psicodrama pedagógico: técnicas psicodramáticas aplicadas ao ensino, *role-playing* e sociodrama.

Por essa classificação, entende-se por "técnicas psicodramáticas aplicadas ao ensino" o emprego de dramatizações visando à compreensão ou ao aprofundamento de conceitos, como, por exemplo, ensinar dramaticamente o que é um delírio, um infarto do miocárdio. O *role-playing* preocupa-se com o desempenho do papel, e aqui a finalidade é a percepção objetiva dos sentimentos e das atitudes dos outros, que desempenham o "contrapapel", e a resposta mais apropriada à situação. Já o sociodrama é um método aplicado basicamente nos trabalhos educativos realizados para a comunidade.

Como instrumento da sociatria, o psicodrama vem sendo utilizado principalmente em três áreas de intervenção social: psicoterápica, pedagógica e comunitária (Aguiar, 1988). Na prática, as três áreas frequentemente se misturam, se interpenetram.

Bleger (1972) assinala que quando se trabalha um objeto também o sujeito está sendo modificado e vice-versa, ocorrendo os dois fatos ao mesmo tempo. Percebe-se, por exemplo, que costuma haver correspondência entre transtornos pessoais e transtornos de aprendizagem. As sessões psicodramáticas têm a função de romper os estereótipos de conduta ("conservas culturais"), abrindo a possibilidade de uma nova aprendizagem, baseada no binômio espontaneidade/criatividade. A psicoterapia é uma forma de ensinar, aprender, vivenciar, pensar e exprimir-se por meio de papéis e vínculos. Nesse sentido, pode-se falar em semelhança entre aprendizagem e psicoterapia; a diferença reside apenas na tarefa explícita que o grupo se propõe a realizar. As ansiedades relacionadas com a novidade criam resistências, que podem aparecer por meio de sintomas (faltas, apatias) ou apego às "conservas culturais" (não entrar em contato com o novo, afirmando, por exemplo, que "o conhecimento antigo é sempre melhor"). Quando o grupo de alunos consegue uma retificação de vínculos estereotipados, "conservados", obtém-se certo grau de efeito terapêutico, podendo-se falar, portanto, em "terapia do papel de médico (ou de estudante de medicina)".

Na ação comunitária, o psicodrama é um "instrumento de tomada de consciência de problemas da coletividade e de estimulação do reposicionamento comum e das vias de solidariedade que podem ser criadas" (Aguiar, 1988). As ações comunitária e pedagógica se misturam quando nas aulas, por exemplo, são tratados temas como aborto, suicídio do jovem, família.

O termo *role-playing* deve ser diferenciado segundo sua utilização em sentido lato ou estrito. Em senso lato, a expressão refere-se a jogo de papéis, representação teatral e, portanto, está presente nas várias formas de abordagem socionômica. Em senso estrito, *role-playing* relaciona-se a uma das etapas de estruturação do papel (entre *role-taking* e *role-creating*), e ao jogo de certo papel e seu contrapapel dentro de um vínculo específico. Por exemplo, *role-playing* da relação entre médico e paciente.

TÉCNICAS FUNDAMENTAIS DO PSICODRAMA

A finalidade do jogo psicodramático de papéis (*role-playing*) "é proporcionar ao ator uma visão dos pontos de vista de outras pessoas, ao atuar no papel de outros, seja em cena, seja na vida real" (Moreno 1974).

O *role-playing* "é um método de interação humana que implica o comportamento realista em situações imaginárias" (Pundik e Pundik, 1974, p. 114).

A expressão "intérprete de papéis" (*role-player*) é uma tradução literal da palavra alemã *rollenspieler*, inicialmente utilizada por Moreno (1965).

Existe uma diferença entre *tomada ou aceitação do papel* (o fato de aceitar um papel já pronto e inteiramente constituído, que não permite à pessoa a menor fantasia com o texto estabelecido); o desempenho do papel (que tolera certo grau de liberdade); e a criação do papel (que deixa ampla margem à iniciativa do ator, como é o caso do ator espontâneo) (Moreno, 1972). Teremos, então, *o receptor de papéis, o intérprete de papéis e o criador de papéis.*

Chamamos de *role-taking* o processo de tomar ou aceitar um papel, desempenhando-o de forma convencional, sem nele colocar muitas características pessoais. Já o desempenho de papel, feito com certo grau de liberdade, é chamado de *role-playing*. Tomar um papel social e convertê-lo em psicodramático, como acontece quando um indivíduo utiliza sua espontaneidade, é o processo chamado de *role-creating*.

O *role-playing* é diametralmente oposto ao *play-acting*: desempenhar um papel não tem nada que ver com representar uma peça. O paradoxo do ator – representar outro personagem diferente do seu e dar-lhe cunho de sinceridade – desaparece com o "desempenho do papel", em que a pessoa se localiza em uma situação da vida real em que lhe é pedido que se mostre o mais possível como ela realmente é.

Um fato importante a discutir aqui é a razão da consagração da expressão inglesa *role-playing* e não o "desempenho de papel", "interpretação de papel" ou qualquer outra tradução para o português que designa apenas aspectos parciais do método.

Mezher (1972), que estudou o assunto em sua tese de doutorado, aponta como argumentos a favor da aceitação desse anglicismo o seu emprego universal, inclusive nas línguas neolatinas, e o fato de que *playing* encerra as noções de jogo, brincadeira e de execução de peça teatral ou musical. O verbo *to play* tem também o significado de agir, de movimentar. Esses três elementos, característicos da técnica, se encontram, então, expressos numa única palavra, que não tem tradução adequada em português.

No *role-playing*, o desenvolvimento da espontaneidade é a primeira meta perseguida e, para estimulá-la na criança, Widlocher recomenda que se incentive a passagem da espontaneidade em seu estado natural e anárquico para uma forma adaptada às tarefas com as quais a criança deve defrontar-se. Mas é claro que a criança precisa descobrir vantagens suficientes para renunciar, ao menos em parte, ao conformismo estereotipado. É necessário que a espontaneidade se tome criadora, e isso se pode obter pelo jogo de papéis. O caráter experimental da situação psicodramática torna o psicodrama uma técnica de educação bastante original.

Pode-se recorrer ao desempenho do papel para o aprendizado de uma profissão, e aqui são numerosos os trabalhos mostrando experiências de *role-playing*, tanto com estudantes como com profissionais de diversas especialidades médicas[1]. Os estudantes geralmente se preocupam com a brecha que separa a teoria da prática. Um dos motivos mais importantes para se realizar o *role-playing* é essa relação vaga e nebulosa que se estabelece entre o conhecimento (o saber) e o desempenho de um papel profissional (atualização do saber na prática). O *role-playing* é um recurso psicodramático que funciona no "como se"; permite que a pessoa "jogue" todos os aspectos que seu papel profissional requeira e sua possibilidade

---

1. Ver Crelier (1981); Cuschinir (1978); Kaufman (1983); Kaufman *et al.* (1980); Kaufman e Montagna (1978); Mascarenhas (1983); Navarro (1976); Perazzo (1980).

TÉCNICAS FUNDAMENTAIS DO PSICODRAMA

criativa lhe permita. Pode também ser utilizado para compreender as tensões e ansiedades provocadas pelo trabalho, além do esclarecimento das defesas porventura empregadas.

É possível ainda, com ele, regular as diferenças entre o papel real e o idealizado, determinando com clareza as funções do papel operativo.

Navarro propõe que todo trabalho de desempenho de papéis valorize a dinâmica do grupo. Dessa forma, a emergência do protagonista ocorrerá com o compromisso de todos os participantes, e a elaboração das situações será decorrente da vivência compartilhada por todos.

As técnicas dramáticas representam uma forma de trabalho em que se valoriza o jogo, privilegia-se o lúdico.

Para melhor demonstrar esse fato, lanço mão de depoimento escrito por aluno de terceiro ano da Faculdade de Medicina da USP, durante curso de Psicologia Médica (Kaufman, 1988).

Depoimento 1: "O aluno faz higiene mental e ao mesmo tempo aprende nas aulas práticas de teatro, faz-se médico por instantes nas brincadeiras que muito podem ter em comum com a realidade, faz-se paciente do Hospital das Clínicas e do consultório particular, sentindo de leve na pele as diferenças no tratamento sem jamais ter clinicado, faz-se parente ou mesmo o próprio doente terminal e, pior, faz-se o médico que não sabe como contar qual a melhor maneira para que a notícia não doa mais do que vai doer".

Alguns autores consideram o *role-playing* um método superficial e orientado para a resolução de problemas, e acreditam que "a expressão de sentimentos profundos normalmente não faz parte da maioria das operações do *role-playing*" (Blatner, 1973, p. 10). Talvez esses autores estejam se referindo ao que é conhecido como "treinamento ou aprendizagem de papéis", o *role-training*. Naffah (1979, 1980) recomenda fazer distinção entre a interpretação de papéis (*role-playing*) e o *role-training* de ideologia não moreniana, bastante empregado em indústrias (e até em escolas) como forma de dirigir a produção dos empregados (ou alunos). Ele desenvolve e reforça papéis predeterminados, de modo que a identidade de cada indivíduo é fornecida pela função desempenhada ou pelo *status* ocupado.

No desempenho de papéis, estamos pensando nas finalidades educativas (psicodrama pedagógico): desenvolvimento da espontaneidade e aprendizado de tarefas – por exemplo, a relação médico-paciente; procura-se a resposta vivencial, a atitude "não conservada", por parte do aluno; ao se falar em "treinamento" ou "aprendizagem" de papéis, ocorre a ideia de normalidade, de adaptação social, como se fosse função do psicodrama produzir pessoas "adaptadas". Assim, o *role-training*, nessa concepção, busca, prioritariamente, não a espontaneidade e o jogo de papéis, mas a preservação da instituição, que permanece como algo inquestionável, devendo os empregados (ou alunos) simplesmente se adaptar a ela. O resultado é completamente o oposto do preconizado por Moreno, ou seja, reforçam-se as conservas culturais e temos, então, a produção do "homem adaptado", conformado, inserido em um pretenso modelo de normalidade; enfim, o "homem-conserva" (Naffah, 1980).

Os temas mais frequentemente solicitados em *role-playing* são trabalhos com pacientes com as seguintes características: a) de primeira consulta; b) prolixo; c) poliqueixoso; d) sedutor; e) terminal; f) "sonegador de informações"; g) agressivo, invasivo; h) psicótico (Kaufman *et al.*, 1980).

Navarro (1976, 1980) mostra que é muito importante fazer os alunos verem que não são meus erros ou falhas que têm maior interesse no trabalho, mas sim a possibilidade de aprenderem a realizar a leitura da internalização que fazem dos pacientes. Da mesma forma, não há necessidade de ensinar o que seria mais adequado na situação enfrentada. Na fase de comentários, o grupo de alunos deve aprender a compartilhar com o protagonista, sem críticas, mas levando suas próprias dificuldades com atendimentos semelhantes, como as resolveram (ou não), sendo que também o diretor e o ego auxiliar podem apresentar suas experiências pessoais. A percepção de cada um ajuda a ampliar a percepção geral e a configurar uma solução que está latente em todos.

O resultado costuma ser gratificante para o grupo. O processo "começa com o assumir o papel do outro, para pelo caminho de, partindo do percentual, iniciar a inversão de papel com esse outro e corrigir esse percentual até a completa inversão de papéis – encontro de cada um com o seu outro" (Perazzo, 1980).

Cada fase da dramatização pode ser corrigida por meio das intervenções do diretor, dos colegas ou do próprio protagonista. Supõe-se, então, que há "um mínimo de ansiedade e a possibilidade de equivocar-se e aprender através do erro" (Moccio, 1970). A explicitação das tensões em jogo funciona como uma "descarga" e permite que se continue o exercício em melhores condições emocionais.

Depoimento 2: "Outro ponto interessante do *role-playing* é a possibilidade de se estacionar o desenrolar de uma cena para se refletir ou trocar ideias, o que seria impossível em uma situação real; esta, aliás, é uma das vantagens do *role-playing:* diante do paciente de verdade você não pode errar, não se pode dizer coisas que talvez prejudiquem o paciente, e nós, alunos, ainda não temos experiências sobre o que e como perguntar".

Aqui esse problema não existe, já que o paciente é "criado" e, além disso, a "entrevista" pode ser repetida várias vezes para melhor compreensão; ela pode ser interrompida para esclarecimentos e comentários – é possível "voltar a fita", figuradamente falando.

Depoimento 3: "O *role-playing* é uma forma de ganhar experiências sem arriscar a reputação do estudante ou a saúde do paciente" (Kaufman, 1988).

O mesmo tema pode ser ainda dramatizado com outras ideias e participação de outros protagonistas, antes de se passar à fase de comentários e ao fecho de aula realizado pelo professor. Em suma, acredito que, para os alunos, em *role-playing* haveria a mesma diferença, em termos de teatro, entre o ensaio e a estreia.

Depoimento 4: "Sentir-se numa situação como integrante dela é diferente de discutir tão puramente. Por tudo isso, o *role-playing* é importante na formação de um estudante de medicina que vê cada vez mais a menor importância que se dá à relação médico-paciente no contexto de nossa realidade" (Kaufman, 1988).

Moccio (1970) lembra que os técnicos da Nasa colocaram os astronautas Armstrong, Collins e Aldrin, com toda a sua equipe, num cenário "lunar" em plena Terra muito antes e muitas vezes antes da projetada viagem à Lua.

Numa proporção obviamente diferente, o *role-playing* representa, para o terceiranista, a promessa da futura "alunisagem".

Depoimento 5: "O *role-playing* foi nossa primeira, mesmo imaginária, atuação como médicos" (Kaufman, 1988).

Depoimento 6: "Ele não visa caracterizar atitudes como certas ou erradas, e, sim, fazer que desenvolvamos o nosso senso crítico para análise do nosso comportamento como médicos" (*ibidem*).

Depoimento 7. "Para ser sincero, o único *role-playing* de que eu participei não levei muito a sério; não sei se naquele dia eu não estava com paciência ou o que quer que seja, mas depois percebi, ou melhor, senti que nas faculdades de Medicina devem ser feitos *role-playings* sempre, para que nós, acadêmicos, possamos entender e até sentir as angústias e as ansiedades que um paciente sente numa consulta" (*ibidem*).

Obviamente, a principal intenção do *role-playing* é que os alunos aprendam a fazer um atendimento médico humanizado, em que o paciente não seja visto como um simples número, ou, como jocosamente o apelidaram os alunos, "o próximo".

Depoimento 8: "Acredito que a matéria é de fundamental importância no currículo médico, pois é um oásis de humanismo no meio de um deserto de enzimas, fígados e fármacos" (*ibidem*).

Alguns alunos, com demonstrações de grande sensibilidade, mostram a viabilidade de se investir no médico como ser humano, e não como máquina despersonalizada.

Depoimento 9: "Como não tivemos grandes contatos com o paciente, sentimo-nos meio inseguros em lidar com eles. Torço para que esse momento chegue, pois gosto de lidar com as pessoas... Fico pensando em como será quando alguém me procurar para cuidados médicos, conselhos. Será que saberei agir, considerar as pessoas? Se a paciente me interessar fisicamente, como agir? Posso me apaixonar, posso me sentir mal diante de alguma lesão e evitar contatos. Será que o receio não aumentará se o paciente tiver alguma doença muito perigosa? Como agirei com meus parentes, amigos... Ficam a dúvida e a expectativa" (*ibidem*).

Depoimento 10: "O corpo, o nosso corpo, nosso lar, é que nos permite comunicar e receber as pessoas amadas, o mundo, o prazer e a dor. O corpo é uma entidade amada, onde achamos qualidades (boas ou más) de que cuidamos (às vezes mais intensamente que da alma). É o corpo que quase sempre também nos surpreende, nos desaponta, que o médico toca, aperta, vasculha e fere. Essa invasão, embora necessária, benéfica, é muitas vezes um ponto a ser vencido pelo estudante. Ele vê ali na maca o corpo inerte, ou incompleto, o próprio corpo, e teme. Não teme o contato, mas a invasão, o dano, o perigo. Não vejo dificuldade no exame físico, no toque, mas no provocar a dor ou a amputação" (*ibidem*).

Sabe-se que o aluno deixa aspectos pessoais interferirem em seu "trabalho médico". É necessário, então, que chegue à conscientização dos seus sentimentos e ao reconhecimento da complementaridade eventualmente patológica do papel jogado por esse "médico".

CONSIDERAÇÕES FINAIS

Para tanto, considero vantajosa a utilização dos métodos socio-nômicos porque:

1. o sociodrama promove a interação entre os estudantes, dando-lhes o ensejo de romper reputações cristalizadas e/ou estigma-tizantes atribuídas pelo grupo a determinado companheiro;
2. o estudante aprende a trabalhar em grupo, a perceber quais são as expectativas do grupo em relação à pessoa. O professor pode trabalhar com a relação integridade individual-coopera-ção grupal;
3. o professor pode analisar a estrutura e a dinâmica do grupo para entender e às vezes tentar modificar as expectativas indi-viduais e grupais do papel;
4. o *role-playing* pode ajudar a explicitar conflitos de papel e a resolver expectativas contraditórias de papéis;
5. o jogo de papéis pode ser utilizado como ferramenta para facilitar a percepção do próprio papel, viabilizando mudanças que conduzam à maior adaptabilidade e funcionalidade no contexto social;
6. o comportamento inadaptado frequentemente relaciona-se à inabilidade para jogar o papel do outro. O *role-playing* oferece a oportunidade de colocar-se no papel do outro, de jogar e "ser o outro";

TÉCNICAS FUNDAMENTAIS DO PSICODRAMA

7. por meio do *role-playing* podem-se apontar condutas inapropriadas por parte do aluno, propondo-se modificações no manejo da relação médico-paciente;
8. o aluno adquire habilidades que o "aquecem" a buscar novos papéis em sua vida cotidiana.

Com esse tipo de abordagem, creio atender às necessidades dos alunos no sentido de:

1. desenvolver na interação médico-paciente a relação pessoa-pessoa – *eu-tu*, em vez de *eu-isso*, nas palavras de Buber;
2. diminuir a ansiedade dos alunos no contato com o doente;
3. lidar com o papel de onipotente que os alunos normalmente desempenham, propiciando melhor percepção dos limites do papel de médico;
4. contribuir para o aspecto formativo, mediante uma sensibilização para a percepção da dinâmica médico-paciente;
5. ampliar o papel de médico, relacionando sua pessoa com a própria família, o ambiente de trabalho, a prática médica (Kaufman e Montagna, 1978).

BIBLIOGRAFIA

AGUIAR, M. *Teatro da anarquia: um resgate do psicodrama*. Campinas: Papirus, 1988.

BLATNER, H. A. *Acting-in – Practical applications of psychodramatic methods*. Nova York: Springer, 1973.

BLEGER, J. "Grupos operativos no ensino". *Temas de psicologia. Entrevistas e grupos*. São Paulo: Martins Fontes, 1972.

BUBER, M. *Eu e tu*. São Paulo: Cortez e Moraes, 1977.

CRELIER, V. L. *Role-playing do papel de médico-pediatra*. Monografia de credenciamento para terapeuta de aluno da Sociedade de Psicodrama de São Paulo, 1981.

CUSCHINIR, L. "Uma experiência de orientação de médicos residentes em psiquiatria com a técnica de *role-playing*". *Revista da Febrap*, v. 1, n. 2, 1978.

FREIRE, P. *Educação como prática da liberdade*. 3. ed. Rio de Janeiro: Paz e Terra, 1971.

KAUFMAN, A. "Contribuição para o ensino médico através do psicodrama". *Revista da Febrap*, v. 6, n. 1, 1983.

_____. *Reflexões sobre educação médica – Uma abordagem socionômica*. Tese (doutoramento), Faculdade de Medicina da Universidade de São Paulo, São Paulo, 1988.

KAUFMAN, A. *et al.* "Técnicas de abordagens com grupos de alunos de medicina". *Revista da Febrap*, v. 3, n. 1, 1980.

KAUFMAN, A.; MONTAGNA, P. L. K. "Ensino da psiquiatria clínica através de *role-playing*". *Revista da Febrap*, v. 1, n. 2, 1978.

MASCARENHAS, P. H. A. "Abordagem psicodramática da relação estudante de medicina-paciente num Centro de Saúde-Escola". *Revista da Febrap*, v. 6, n. 2, 1983.

MEZHER, A. *Contribuição para o estudo da técnica psicodramática na aprendizagem do papel de médico*. Tese (doutoramento), Faculdade de Medicina da Universidade de São Paulo, São Paulo, 1972.

MOCCIO, F. "Algunas observaciones en la técnica del *role-playing*". In: MARTINEZ BOUQUET, C.; PAVLOVSKY, E. *Psicodrama analítico en grupos*. Buenos Aires: Kargieman, 1970.

MONTEIRO, R. F. *Jogos dramáticos*. 8. ed. São Paulo: Ágora, 1994.

MORENO, J. L. *Psicomúsica y sociodrama*. Buenos Aires: Hormé, 1965.

_____. *Fundamentos de la sociometría*. 2. ed. Buenos Aires: Paidós, 1972.

_____. *Psicoterapia de grupo e psicodrama*. São Paulo: Mestre Jou, 1974.

MORENO, Z. T. *Psicodrama de crianças*. Petrópolis: Vozes, 1975.

NAFFAH, A. *Psicodrama – Descolonizando o imaginário*. São Paulo: Brasiliense, 1979.

_____. *Psicodramatizar*. São Paulo: Ágora, 1980.

NAVARRO, M. P. "Treinamento do papel de médico psiquiatra com técnica psicodramática". *Temas*, v. 6, n. 11, 1976.

_____. "Supervisão psicodramática; proposição de um modelo". *Revista da Febrap*, v. 3, n. 1, 1980.

PERAZZO, S. "Reflexões de um psicodramatista: o diretor, seu papel e sua integração aos objetivos pedagógicos do grupo de *role-playing*". *Revista da Febrap*, v. 3, n. 1, 1980.

PUNDIK, J.; PUNDIK, M. A. D. *Introducción al psicodrama y a las nuevas experiencias grupales*. Buenos Aires: Paidós, 1974.

ROMANA, M. A. *Psicodrama pedagógico*. Campinas: Papirus, 1985.

_____. "Psicodrama aplicado à educação". In: V Congresso Brasileiro de Psicodrama, Caldas Novas, 1986. *Anais...*

WIDLOCHER, D. *Psicodrama infantil*. Petrópolis: Vozes, 1970.

15. O jogo no psicodrama

Regina Fourneaut Monteiro

O HOMEM E O JOGO

O homem tem como tendência básica a necessidade de compreender o Universo e, nesse anseio de curiosidade, desde sempre usou a identificação, a imitação e a representação como formas de se expressar e assim decifrar a natureza, por meio da ação.

Essa necessidade imperiosa manifestou-se desde o aparecimento da sociedade humana e sua consequente cultura, numa atividade livre, alegre, agradável e divertida: o jogo. Este encena em sua essência o sentido maior do que o de uma manifestação caprichosa: contém sempre uma significação. "No jogo existe alguma coisa em jogo que transcende as necessidades imediatas da vida e confere um sentido à ação", nos diz Huizinga (1971, p. 4), jogando com palavras.

A criança, com suas brincadeiras, nos faz ver que dentre todas as atividades de comer, beber e dormir, imprescindíveis para o seu organismo, sobressai-se a atividade lúdica. O que ela busca é jogar, desempenhar, criar uma realidade própria no seu mundo do "como se". Podemos notar a alegria que as crianças sentem nessa situação: surge o prazer natural, espontâneo, reforçando a motivação para continuar brincando.

O comportamento das crianças durante seus jogos nos confirma que elas têm uma crença real do que escolhem para brincar. O jogo lhes permite ir ao mundo da fantasia, da imaginação. É assim que, por exemplo, uma caixa de fósforo é um caminhão, uma boneca é um ser humano. No entanto, se questionarmos quem brinca com o seu "caminhão", ele nos dirá que está num "faz de conta" e que aquilo é, na verdade, uma caixa de fósforos.

Em suas brincadeiras de "faz de conta" a criança alcança pleno domínio da situação, vivendo e convivendo com a fantasia e a realidade. É capaz de passar de uma a outra, criando, assim, a possibilidade de elaboração de suas dúvidas e conflitos. Esse fascinante domínio de passagem de uma situação para outra, com convicção total, por meio de respostas rápidas a situações novas ou respostas novas a situações já conhecidas, é assegurado à criança por algo mais do que a razão ou o instinto: a espontaneidade. A essência do jogo reside nessa capacidade espontânea, que leva à liberdade, permitindo ao homem "viajar" pelo mundo do imaginário e, assim, recriar, descobrir novas formas de atuação. Mas é importante que o indivíduo queira jogar e esteja disponível para isso, reafirmando sua seriedade e sua busca espontânea e criativa.

Se tomarmos o jogo em sentido amplo, podemos defini-lo como divertimento, recreação, brincadeira, enfim, um passatempo sujeito a certas regras, dentro dos limites do tempo e do espaço. Todo jogo tem um início, um desenvolvimento e um fim e se realiza em um campo previamente delimitado, o que exige no seu decorrer uma ordem adequada para sua realização.

Constatamos, então, na própria definição do jogo, a íntima relação entre ele, a liberdade e a ordem, num paradoxo percebido por Bally (1975, p. 10): "O jogo é o movimento da liberdade. Ele dá o limite da liberdade e o que a ameaça".

Entretanto, as constantes mudanças na sociedade e na cultura, no decorrer do tempo, determinam novos padrões de se avaliar o aproveitamento do homem no mundo, criando falsas ideias de ordem e de liberdade. Esse novo sistema compromete a capacidade criativa e converte a possibilidade de ação lúdica em algo sem objetividade. É assim que o jogo, depois de criado, se insere na cultura, torna-se também uma conserva cultural, aparece como um produto finalizado, uma forma fixa, abolindo nas pessoas a sede primitiva de recriar, na magia do "como se", planos diferentes de atuação.

É possível observarmos que toda capacidade de criatividade e espontaneidade, apresentada nos jogos do "faz de conta" das crianças, está tolhida no adulto. Em seu lugar encontramos, muitas vezes, respostas prontas, estereotipadas, atitudes cristalizadas em relação a determinadas situações novas ou já conhecidas para o indivíduo.

É preciso permitir ao homem reencontrar a sua liberdade, por meio não só de respostas a seus problemas, mas também da procura de formas novas para os desafios da vida, liberando sua espontaneidade criativa. E essa é a proposta de jogo psicodramático, tal como foi engendrado por Jacob Levy Moreno.

O jogo nos desenvolve, na sua intensidade, uma fascinante energia que nos possibilita ir e vir, trocar e transformar, promovendo a descoberta, o encontro do homem consigo mesmo, com os outros e com o mundo cósmico.

No jogo se luta, se representa, se imagina ou se sensibiliza para alguma coisa. Nesse sentido, ele enfeita a vida, ornamenta-a e constitui-se em uma necessidade para o homem, ao lhe dar uma consciência de ser diferente da "vida cotidiana", de compreender e influenciar o mundo onde vive. Esse é o sentido com que utilizamos o jogo no psicodrama.

O JOGO NO PSICODRAMA

Reportando-nos às origens do psicodrama, vamos encontrar nas experiências pessoais de seu criador, J. L. Moreno, a confirmação de que o psicodrama nasceu da necessidade humana da exploração do desconhecido. Nasceu, originalmente, de uma fidelidade absoluta de seu criador ao papel de Deus. Pois Deus é criação.

Quando Moreno tinha aproximadamente 4 anos e meio, seus pais moravam em uma casa perto do Rio Danúbio. Em um domingo, saíram de casa, deixando o filho e seus amigos brincando no sótão. Era um quarto grande e vazio, com apenas uma mesa no centro. Os amigos de Moreno lhe perguntaram: "Vamos brincar?" "De quê?" Ao que Moreno lhes respondeu: "Façamos o jogo de Deus e seus anjos. Eu sou Deus e vocês, os anjos". Todos concordaram e resolveram começar a construir o "céu" com todas as cadeiras da casa, empilhando-as, até chegar ao teto. Corriam ao redor da construção, abrindo os braços como asas e cantando. Até o momento em que uma das crianças se dirigiu a Moreno, que estava em pé no alto das cadeiras, e lhe perguntou: "Por que não voa?" Moreno abriu os braços e em seguida estava no chão, com o braço direito quebrado.

Moreno nos relata essa experiência em seu livro *Psicodrama* (1975, p. 24) e diz: "Esta foi a primeira sessão psicodramática que dirigi. A partir daí segui sempre atraído pelo sentido misterioso do jogo". Somos, portanto, levados a dizer que o psicodrama nasceu do jogo.

Moreno nos diz mais: que sua inspiração ao criar o psicodrama pode muito bem ter tido origem nessa sua vivência. As cadeiras empilhadas sobre a mesa em níveis diferentes podem ter sido o ponto de partida para sua ideia, no futuro, dos vários níveis do cenário psicodramático: o primeiro, da concepção; o segundo, do crescimento; o terceiro, da consumação e da ação; e o quarto, da galeria, o nível dos deuses e dos heróis.

Moreno passa por vários estágios durante essa vivência. Desde o momento de aquecimento para o papel de Deus, passando pela percepção de sua queda – que ocorreu quando as outras crianças, seus egos auxiliares, deixaram de segurar as cadeiras –, até chegar ao aprendizado de que outras crianças e não só ele gostam de jogar o papel de Deus. Ainda estudante, entre 1908 e 1911, Moreno continua sua incursão por esse caminho quando nos Jardins de Viena promovia encenação dos contos de fada com as crianças.

O jogo se insere no psicodrama como uma técnica que propicia ao indivíduo expressar livremente as criações de seu mundo

Técnicas fundamentais do psicodrama

interno, realizando-as na forma de representação de um papel, ou por determinada atividade corporal. Assim, a produção mental de uma fantasia é objetivada. O psicodrama propõe uma terapia de baixo nível de tensão, em situação preservada, em que o indivíduo não está trabalhando diretamente com seu conflito. Pelo fato de estar simplesmente brincando, já se eliminam as situações angustiantes e ansiógenas, pois o lúdico cria uma atmosfera permissiva. O aparecimento de uma atuação espontânea e criativa proporciona a substituição de respostas prontas estereotipadas por respostas novas, diferentes e livres da conserva cultural, o que permite descobertas de novas formas de se lidar com uma mesma situação. O campo relaxado de conduta é que torna possível esse objetivo.

Entendemos por conduta em campo aquela que permite, em primeiro lugar, uma tomada de distância da meta a ser atingida, seguida de uma cuidadosa análise das possíveis respostas alternativas àquela situação. No campo relaxado crescem as possibilidades de relações que permitam ao indivíduo alcançar uma solução de seus conflitos. Já no campo tenso, toda conduta se encontra fortemente limitada por uma concentração obsessiva que impossibilita as ampliações das possibilidades de respostas.

A expressão "jogos dramáticos" aplicada aos jogos no psicodrama obviamente deve-se ao fato de estes ocorrerem no contexto dramático, diferentemente de outros jogos, que se realizam em outros campos de ação, como o futebol ou o xadrez.

No psicodrama, o jogo necessita de uma sistematização em etapas de desenvolvimento que são análogas às etapas da ação dramática: aquecimento, dramatização e comentários.

1. *Aquecimento:* é a preparação do indivíduo para que ele se encontre em condições de jogo. Consideramos duas fases de aquecimento:
   - O *aquecimento inespecífico* – corresponde ao primeiro momento em que o grupo se propõe, junto com o diretor,

a realizar uma tarefa conjunta: a escolha do jogo e o estabelecimento das regras, a delimitação do campo dramático e o papel que cada participante vai ter.

- *O aquecimento específico* – ocorre no contexto dramático.
2. *Dramatização*: é o jogo propriamente dito em realização.
3. *Comentários*: é a etapa final. Nela todos comentam o que observaram. É a leitura do que foi expresso dramaticamente. Pode ser completada com considerações mais amplas no campo terapêutico, como significado do papel escolhido e seu desempenho, grau de participação, de criatividade, de espontaneidade, bem como características de sua tipologia que também tenham aparecido. Essa leitura ou compreensão é muito importante, pois confere o sentido terapêutico à aplicação do jogo.

O jogo pode ser usado em várias situações. O momento mais frequente é na etapa do aquecimento, com o objetivo de "trazer material terapêutico que possa vir a se constituir no tema da sessão", criando, assim, um continente grupal para a realização do trabalho.

EXEMPLOS

1. No IV Encontro internacional de Psicodrama, realizado em São Paulo em fevereiro de 1991, propus-me a dirigir um sociodrama com tema: "Rumo à mudança do século. 2001, faltam dez anos". Ao fazer a inscrição para o trabalho, convidei como egos auxiliares Vânia Crelier e Carlos Borba. Resolvemos não limitar o número de inscrições. A programação do congresso previa que várias atividades ocorressem ao mesmo tempo: sociodramas, vivências, supervisões, psicodramas e, ainda, outras que fossem solicitadas pelos participantes. Muitas ocorriam simultaneamente. Desde o início, quando as

inscrições foram abertas, pudemos observar que acontecia uma escolha privilegiando os trabalhos dirigidos pelos psicodramatistas estrangeiros, que, sem dúvida, poderiam provocar em alguns casos o esvaziamento de nossos grupos conforme a "sorte" do dia e da hora.

Senti que talvez tivesse de enfrentar junto com Vânia e Carlos um "problema" que nos desaquecia para o trabalho. A sala que nos foi reservada pela direção do congresso era enorme. Cheguei a torcer para que ninguém aparecesse. Vânia me dizia: "Você não quer dirigir". E era verdade. Mas já havia me comprometido. Acompanhávamos as inscrições. Chegamos a ter mais de 60 pessoas inscritas, mas isso não nos garantia sua participação. Elas poderiam na hora optar por outra atividade que surgisse a pedido delas mesmas. Havia na programação um "espaço aberto" que permitia que isso acontecesse. Não tínhamos a menor garantia de realizar ou não nosso sociodrama. Ora estávamos entusiasmados nos aquecendo, ora nos sentíamos absolutamente indiferentes e desaquecidos.

No dia e hora marcados, entramos na sala, que era imensa, e aos poucos foram chegando algumas pessoas. Passados alguns minutos, 28 pessoas me olhavam e eu não sentia a menor vontade de fazer nada.

Não estava aquecida para trabalhar. Na verdade, minha vontade era dizer: "Pessoal, vamos tomar um cafezinho no salão lá embaixo?"

Comecei por me apresentar e os egos auxiliares fizeram o mesmo. Pedi a cada um dos participantes que dissesse seu nome e o motivo que o levara até ali. Fizemos uma rodinha, sentados no chão num dos cantos da sala. Todos falaram. Alguns haviam escolhido estar lá e outros foram porque para a atividade de que realmente gostariam de participar não tinha mais vagas.

Concluí que não existia o menor continente grupal e que eu precisava me aquecer primeiro. Disse isso a eles e comecei sozinha a dramatizar para poder dirigir. Levantei-me e fiz alguns exercícios de relaxamento, como respirar fundo, andar e esticar o corpo para aliviar a minha tensão. O grupo me observava. Surgiu uma ideia: "Preciso de mais pessoas aqui para me ajudar. Pessoas do meu mundo interno que eu vou trazer aqui". Tomei uma cadeira vazia e a coloquei no cenário. Era Moreno que chegava. Outra, outra e outra, psicodramatistas, amigos e amigos psicodramáticos estavam ali! "Conversei" com cada um e logo todos estavam presentes. Os egos fizeram o mesmo, nosso grupo aumentava e nossa equipe se aquecia. Pedi a cada um dos participantes do grupo que agisse do mesmo modo: levasse pessoas importantes de sua história de vida para estar conosco. Várias cadeiras foram colocadas e vários diálogos foram estabelecidos. A inversão de papéis também foi muito utilizada nesse momento. A pessoa colocava-se no lugar "do convidado" e falava de sua disponibilidade de estar lá conosco. Todos nos aquecemos. Esse jogo criou o continente necessário para iniciarmos o sociodrama.

Quero ressaltar com esse exemplo a importância do aquecimento do diretor e de sua equipe para a realização de qualquer trabalho. O jogo dramático nesse momento é um dos nossos maiores aliados.

2. Na IV Jornada Interna da Sociedade de Psicodrama de São Paulo, realizada em novembro de 1989, fui convidada a dirigir um "teatro espontâneo". Éramos cerca de 70 pessoas, todas psicodramatistas. Trabalharam como egos auxiliares Irene Stephan e Carlos Borba.

Iniciei o trabalho pedindo que o grupo se movimentasse, andando pela sala, observando-se, e, a seguir, que se subdividisse em três subgrupos. Não valorizei o critério de escolha, deixei-os à vontade para isso.

Formados os grupos, cada um deles se reuniu em um canto da sala e combinou o seguinte: deveriam pousar para uma foto e um deles seria o fotógrafo-relator que explicaria seu significado para os outros dois grupos. Dei algum tempo para que todos se organizassem. Separadamente, cada grupo montou sua fotografia e a apresentou aos outros. Por aplauso, uma foto foi escolhida e iniciou-se o teatro espontâneo com atores e espectadores que puderam juntos, a partir do primeiro estímulo dado pela cena escolhida, desenvolver uma peça.

Outra modalidade de encaminhar esse jogo seria, depois de formados os subgrupos, enumerá-los: 1, 2 e 3. O grupo número 1 deveria montar uma fotografia e, sem explicação nenhuma, mostrá-la aos outros dois estaticamente. O grupo 2 teria de repetir a postura dos membros do grupo anterior e dar movimento, fazer a mímica, uma primeira dramatização muda. Em seguida, o terceiro assumiria os papéis e dramatizaria usando a palavra. Assim, surgiriam personagens, e a primeira cena do teatro espontâneo, que seguiria sendo criado por todo o grupo.

3. Em uma sessão de grupo de psicodrama, realizada em meu consultório com 12 participantes, observei que naquele dia os pacientes não traziam nenhum material terapêutico para ser trabalhado enquanto estimulados verbalmente.

Pedi a todos que se levantassem, andassem pela sala e a seguir se sentassem em roda no contexto dramático. De olhos fechados, deveriam entrar em contato consigo mesmo e respirar profundamente algumas vezes, até se sentirem relaxados. Dei-lhes algum tempo. A ordem seguinte foi abrir os olhos e esfregar as mãos até senti-las aquecidas para trabalhar. Aos poucos, deveriam tentar imaginar que cada um tinha nas mãos uma pequena bola com que poderia brincar, uma bola mágica que ia lentamente crescendo. A bola foi ficando grande de tal modo que cada um deles deveria procurar um modo de entrar e brincar dentro dela. Esse é um jogo que deve ser encaminhado lentamente, pois exige um bom aquecimento para que os participantes se sintam livres para se expressar corporalmente. Um estímulo musical suave pode auxiliar muito. Dei um tempo para que todos esgotassem suas necessidades de pesquisa, e a seguir procurassem a saída e voltassem a brincar do lado de fora com suas bolas. Aos poucos, ela foi diminuindo de tamanho, voltou para as mãos e tornou-se uma bolinha que gradativamente desapareceu. Depois, comentamos sobre o que sentimos durante o jogo. Neste momento, uma paciente nos disse que foi muito difícil sair, lembrou-se das histórias que lhe foram contadas sobre seu nascimento, prematura de sete meses, e que todos a achavam muito feia. A sessão continuou com a protagonista que emergiu do jogo realizada. Vale observar que o tema da sessão anterior havia sido adoção, daí a escolha do jogo por parte da direção. Em experiências anteriores com esse jogo, já havia constatado que os temas nascimento, aborto e rejeição apareciam com frequência. Joguei com isso!

Poderia ter sido utilizado outro jogo, como, por exemplo, pedir ao grupo que se levantasse e se movimentasse pela sala. Sempre iniciamos qualquer jogo com um aquecimento para que todos aliviem suas tensões. Andando, esticando o corpo, alongando os membros, respirando fundo, colocamos o indivíduo em contato com o seu próprio corpo e criamos condições para que relaxe. A seguir, solicita-se a todos que se sentem em roda no contexto dramático e fechem os olhos, procurando um contato íntimo consigo mesmo. Os barulhos externos devem ser ignorados. Cada um deve procurar perceber como está, como se sente no momento, pensar em sua vida e no que mais o preocupa naquele instante. Como se perguntasse a si próprio: "Qual é agora uma situação de conflito que me dói e me faz sofrer que poderia compartilhar com este grupo?" Após algum tempo, pede-se que todos abram os olhos lentamente e que os que estiverem mais aquecidos comecem a contar o que lhes ocorreu durante o jogo. Poderá daí surgir um depoimento que nos leve com o grupo a considerar o protagonista da sessão.

CONSIDERAÇÕES FINAIS

O jogo dramático é, sem dúvida, um dos pilares do psicodrama. O jogo de papéis, do espelho, do duplo, da inversão, da realização simbólica, dos sonhos, do futuro etc. O psicodrama é, ele próprio, um grande jogo do Teatro da Vida, onde representamos papéis durante todo o tempo.

Espero que este livro, em que as técnicas originais de Moreno são descritas por aqueles que acreditam em seu trabalho e no psicodrama, tenha-lhe transmitido uma mensagem.

BIBLIOGRAFIA

ABERASTURY, A. *A criança e seus jogos*. Petrópolis: Vozes, 1972.

BALLY, G. *El juego como expresión de libertad*. 2. ed. Cidade do México: Fondo de Cultura Económica, 1964.

BUSTOS, D. M. *El psicodrama: aplicaciones de la técnica psicodramática*. Buenos Aires: Plus Ultra, 1974.

_____. *Psicoterapia psicodramática*. Buenos Aires: 1975.

GUNTHER, B. *Sensibilidade e relaxamento*. São Paulo: Brasiliense, 1974.

HUIZINGA, J. *Homo ludens*. São Paulo: Perspectiva, 1971.

MONTEIRO, R. F. Jogos *dramáticos*. 8. ed. São Paulo: Ágora, 1994.

MORENO, J. L. *Psicodrama*. São Paulo: Cultrix, 1975.

ROJAS-BERMÚDEZ, J. G. *Introdução ao psicodrama*. São Paulo: Mestre Jou, 1970.

Os autores

ANTÔNIO GONÇALVES DOS SANTOS
Psicodramatista, terapeuta de alunos e professor supervisor da Sociedade de Psicodrama de São Paulo.

ARTHUR KAUFMAN
Mestre e doutor em Psiquiatria pela Faculdade de Medicina da USP. Professor e supervisor da Sociedade Brasileira de Psicodrama de São Paulo. Autor de *Teatro pedagógico* (Ágora, 1992).

CAMILA SALLES GONÇALVES
Doutora em Filosofia pela USP, psicóloga clínica, professora e supervisora pela Federação Brasileira de Psicodrama. Autora de *Psicodrama com crianças: uma psicoterapia possível* (1988). Coautora de *Lições de psicodrama* (1988), *A ética nos grupos* (2002) e *Psicodrama público na contemporaneidade* (2016), todos publicados pela Ágora.

CARLOS CALVENTE
Psicoterapeuta, psicodramatista e supervisor do Instituto Moreno, em Buenos Aires, Argentina. Autor de *O personagem na psicoterapia* (2002) e coautor de *Por todas as formas de amor* (2014), ambos publicados pela Ágora.

FANI GOLDENSTEIN KAUFMAN
Professora supervisora da Sociedade de Psicodrama de São Paulo. Professora do Instituto Sedes Sapientiae e do curso de Psicologia Médica da Faculdade de Medicina da USP.

JOSÉ ROBERTO WOLFF
Médico, mestre em Psiquiatria pela Faculdade de Medicina da USP, psicoterapeuta, autor de *Sonho e loucura* (Ática, 1985) e coautor de *Lições de psicodrama* (Ágora, 1988).

LUÍS ALTENFELDER SILVA FILHO
Médico-psiquiatra do Hospital do Servidor Público Estadual e do Hospital das Clínicas da Faculdade de Medicina da USP. Professor supervisor do Instituto Sedes Sapientiae e da Sociedade de Psicodrama de São Paulo. Autor de *Doença mental: um tratamento possível* (Ágora, 2011).

MARIA LUIZA CARVALHO SOLIANI

Psiquiatra, psicodramatista, mestre em Teoria Psicanalítica e ex-presidente da Federação Brasileira de Psicodrama, gestão 1987/1988.

MARTHA FIGUEIREDO VALONGO

Psicóloga, psicoterapeuta, psicodramatista, psicomusicista e educadora. Ex-coordenadora de ensino e professora do curso de formação em psicodrama da Sociedade de Psicodrama de São Paulo. Coordenadora de treinamento em sensibilização e desenvolvimento de papéis em nível empresarial. Desenvolve trabalho holístico de vivência artística.

REGINA FOURNEAUT MONTEIRO

Psicóloga, psicoterapeuta, psicodramatista. Terapeuta de aluno e professora supervisora da Sociedade de Psicodrama de São Paulo. Credenciada pela Federação Brasileira de Psicodrama. Autora de *Jogos dramáticos* (1994) e *O lúdico nos grupos* (2012). Organizadora e coautora de *Psicodrama em espaços públicos* (2014) e *Psicodrama público na contemporaneidade* (2016), todos publicados pela Ágora.

REGINA TEIXEIRA DA SILVA

Psiquiatra, psicodramatista, terapeuta de aluno e professora supervisora da Sociedade de Psicodrama de São Paulo.

RONALDO PAMPLONA DA COSTA

Psiquiatra, psicoterapeuta, psicodramatista. Professor, terapeuta e supervisor da Sociedade de Psicodrama de São Paulo. Conselheiro do Instituto Kaplan (SP). Autor de *Os onze sexos* (Kondo, 2005). Organizador de *Um homem à frente de seu tempo* (2001) e colaborador de *Psicodrama público na contemporaneidade* (2016), ambos publicados pela Ágora.

VÂNIA CRELIER

Psiquiatra, psicodramatista, terapeuta e supervisora credenciada pela Sociedade de Psicodrama de São Paulo. Autora de *Apenas* (Edicon, 1987) e *Retalhos* (Edicon, 1989).

WILSON CASTELLO DE ALMEIDA

Médico, mestre em Psiquiatria pela Faculdade de Medicina da USP. Autor de *Moreno: um encontro existencial com as psicoterapias* (1991), *Psicoterapia aberta* (2006), *Defesas do ego* (2009), *Rodapés psicodramáticos* (2012) e *Elogio a Jacques Lacan* (2017). Coautor de *Lições de psicodrama* (1988), *Grupos: a proposta do psicodrama* (1999), *A ética nos grupos* (2002) e *Quando a psicoterapia trava* (2007).

www.gruposummus.com.br